UN TRABAJO CON ALMA

Thomas Moore

Un trabajo con alma

La alegría de descubrir
cuál es tu misión en el mundo

U R A N O

Argentina - Chile - Colombia - España
Estados Unidos - México - Uruguay - Venezuela

Título original: *A Life at Work*
Editor original: Broadway Books, Nueva York
Traducción: Núria Martí Pérez

© 2008 *by* Thomas Moore
This translation published by arrangement with The Doubleday Broadway Publishing Group, a division of Random House, Inc., New York
All Rights Reserved
© de la traducción 2008 *by* Núria Martí Pérez
© 2008 *by* Ediciones Urano, S.A.
Aribau, 142, pral. – 08036 Barcelona
www.mundourano.com
www.edicionesurano.com

ISBN: 978-84-7953-687-9
Depósito legal: NA. 2.634 - 2008

Fotocomposición: Ediciones Urano, S.A.
Impreso por Rodesa, S.A. – Polígono Industrial San Miguel
Parcelas E7-E8 – 31132 Villatuerta (Navarra)

Impreso en España – *Printed in Spain*

A Ben Moore,
un maestro nato, un padre extraordinario
y un magnífico ser humano

*De este modo, cada hombre, en el curso de su vida
presente, no sólo ha de mostrarse obediente y dócil.
Por su fidelidad debe construir comenzando por la zona
más natural de sí mismo una obra, un* opus,
*en la que entre algo de todos los elementos de la Tierra.
A lo largo de todos sus días terrestres, el hombre se hace
su alma; y a la vez colabora con otra obra, con otro* opus,
*que desborda de modo infinito, al mismo tiempo que
las domina estrechamente, las perspectivas de su éxito
individual: la culminación de su mundo.*

PIERRE TEILHARD DE CHARDIN, *El medio divino*

Índice

Prefacio

La alquimia: el *opus* del alma

Hace justo trescientos años alquimistas como el inglés John Dee instalaron un pequeño horno en su humeante y abarrotado laboratorio y se dedicaron a observar con atención y paciencia los signos del progreso. Deseaban crear medicinas, elixires y el secreto de la eterna juventud. En sus laboratorios tenían una colección de valiosos libros antiguos que contenían los secretos del proceso, un diminuto oratorio con un altar y un reclinatorio, para rezar pidiendo triunfar en su labor, y un descomunal libro en blanco para anotar los experimentos que realizaban.

Durante miles de años en China y en India, y más tarde en Europa, hombres y mujeres alquimistas intentaron descubrir el significado de la vida con este exótico sistema basado en cambios químicos e interpretaciones exóticas. Utilizaron una gran variedad de sustancias: líquidas y sólidas, materia pura y materia corrupta, material corriente al alcance de su mano y sustancias químicas más puras. Vertían el material en unos recipientes especiales de cristal, algunos de ellos de intrincadas y bellas formas. A continuación sometían la materia básica, la *prima materia,* a diversos niveles y periodos de calor. Mientras tanto consultaban sus libros antiguos y observaban atentamente los cambios de color y de textura, y los consideraban imágenes para el desarrollo de su corazón y de su vida.

Para algunos alquimistas la meta no era tan importante como el proceso en sí. Tenían unos crisoles especiales —unos recipientes de cristal de extrañas formas— que transferían el material procesado al recipiente inicial y entonces empezaban el proceso de nuevo con sus hornos, sus libros y sus cuadernos de notas, observando cómo el material se iba refinando más aún si cabe. Algunos de ellos deseaban claramente alcanzar una meta material: el oro. Pero otros aspiraban a una más etérea y espiritual: la creación de un yo o de un alma.

El proceso alquímico entero —no sólo el producto final— se conocía como el «opus». La palabra significa «obra» y solía escribirse en mayúscula para diferenciarla de su otro significado más corriente. La «Obra» era el largo proceso de refinar el material burdo, pasando por muchas etapas identificadas por los colores —el ennegrecimiento, el blanqueamiento, el enrojecimiento, el amarillear— y alcanzando un punto final descrito como la cola del pavo real, la piedra filosofal o el elixir de la inmortalidad.

Los alquimistas usaban imágenes arcanas para referirse a los diversos aspectos de la Obra, a veces procedentes de la religión y la mitología, o bien de su propio código. A lo largo de los siglos las prácticas alquímicas se han estado llevando a cabo en secreto, quizá para que esta misteriosa Obra no se pudiera profanar. O tal vez intentaban actuar a dos niveles al mismo tiempo: el mundano y el espiritual. Los grandes misterios de la vida suelen expresarse con ricas y a veces extravagantes imágenes.

Con frecuencia los alquimistas distinguían el sentido ordinario de las cosas del espiritual. Hablaban de «nuestra» agua, de «nuestro» azufre y de «nuestro» mercurio para referirse a estos elementos como imágenes en lugar de como sustancias físicas. Al leer los textos alquímicos hay que recordar que el «negro» es tanto un estado de ánimo como un color. En ellos se habla del *aqua permanens,* el agua eterna, para distinguirla del agua en su realidad física pura. El agua «alquímica» puede interpretarse como algo sumamente fluido y profundo, o como el fluir de la vida.

Los alquimistas debían ser pacientes. Algunos de ellos nunca llegaban a vislumbrar su meta y otros tenían que trabajar durante años antes de hacer algún progreso. Algunos tenían ayudantes en las tareas manuales de la Obra, como el amigo y compañero de John Dee, Edward Kelly. Otros tenían una *soror mystica,* una hermana mística, que les ayudaba a inspirarse y a seguir la labor.

Durante mucho tiempo me ha asombrado que estos detalles de los alquimistas trabajando transmitan algo muy profundo sobre la búsqueda de la labor que estamos destinados a hacer en la vida. Es profunda y misteriosa. Conlleva cambios y progresos. Para llevarla a cabo debemos ser pacientes, tener buenos poderes de reflexión y observación, y el valor para seguir adelante cuando parece no ocurrir nada que valga la pena. Este trabajo se compone tanto de una actividad superficial como de un significado profundo, y hacer sólo la primera no te lleva a ningún lado.

La alquimia te ofrece un modelo para descubrir tu vocación. Te enseña que la búsqueda no consiste sólo en el producto final sino también en el proceso en sí. Te ofrece unas ricas metáforas de los numerosos cambios que haces, los estados de ánimo y las emociones que experimentas, y los repetidos fracasos y éxitos que forman parte natural del proceso. Y en especial la alquimia lleva la búsqueda más allá del reino de lo heroico, donde estás desesperado por triunfar y desesperado al fracasar, en un complejo proceso en el que la búsqueda es un proceso que dura toda la vida.

Aun así, los alquimistas abordaban su trabajo como si su vida dependiera de ello. Creían que el *opus* era lo más importante que harían en ella. Tu trabajo también es igual de importante, porque no sólo te permite ganarte la vida, sino que también es un medio para convertirte en una persona.

Este libro trata sobre la búsqueda de la labor que estás destinado a hacer en la vida, no sólo como un trabajo, sino como una actividad o un conjunto de actividades que le dan un sentido y un propósito a tu existencia. Trata sobre el espíritu y el alma del trabajo y te ofrece ideas para oír la llamada de la vocación y dedicarte a aquello que has venido a hacer en la vida.

1

Sin ir a ninguna parte

El sufrimiento me penetra gota a gota.

SAFO

Tengo un amigo en New Hampshire, el lugar donde vivo, que está constantemente deprimido y frustrado porque no puede encontrar un trabajo que le llene. Es una de las personas más talentosas que conozco. Es inteligente, tiene un gran sentido del humor, le encanta estar con gente, todo el mundo le adora y es un artista excepcional. Pero es incapaz de conservar un trabajo y no sabe qué hacer con su vida. Odia el tortuoso proceso de buscar un nuevo empleo, dejarlo y empezar de nuevo. Aunque siempre tiene una sonrisa para cuantos le rodean, es como el clásico payaso que debajo de su feliz cara pintada oculta una desesperada tristeza.

Muchos hombres y mujeres son como mi amigo Scottie. A simple vista parecen ser relativamente felices y que todo les va bien en la vida, pero en el fondo están desesperados porque no les gusta el trabajo que hacen o creen que no vale la pena vivir la vida que llevan. También saben de sobras que la insatisfacción que sienten en su trabajo les afecta otras áreas de su vida.

No conseguir encontrar el trabajo adecuado o no disfrutar con el que tenemos crea una clase especial de depresión. Algunas personas sienten como si les hubieran roto el espíritu o como si éste nunca hubiera salido a la luz del día. Otras se preguntan por qué se sienten tan mal y nunca llegan a relacionar su depresión con el trabajo que realizan. Al recurrir a una terapia quizás hablen de sus problemas matrimoniales o de una adicción, y se sorprendan cuando el psicólogo les pregunte sobre su trabajo. Por lo visto no se les ha ocurrido pensar que éste pudiera tener algo que ver con sus emociones y con aquello que da sentido a su vida.

Un *opus* es el proceso que dura toda la vida de darle sentido a la existencia y de convertirnos en una verdadera persona, y no es una coincidencia que esta palabra también se utilice para designar una composición musical o toda la obra de un artista. Tú también eres una obra de arte: los alquimistas solían referirse al *opus* como la Obra, pero también lo llamaban Arte. Tú eres el diseñador artístico de tu vida y ésta es la labor más importante que harás en ella. Producirás cosas de las que te enorgullecerás: hijos felices, un buen hogar, una sociedad que funciona e incluso algunas buenas obras de arte. Te convertirás en una persona única. No hay nada más bello y valioso que esto. Pero si no manifiestas el potencial que hay en ti, puede que la vida en general te desespere.

C. G. Jung escribió que la creatividad es un instinto y no un don otorgado sólo a algunos privilegiados. Si no encuentras la forma de expresar en la vida la creatividad que hay en ti, reprimirás y frustrarás este instinto. Sentirás la pérdida de este instinto como si te deshincharas, como si el espíritu se te estuviera escapando del cuerpo. Te sentirás vacío, desconectado e insatisfecho.

El *opus* no nace totalmente desarrollado, sino que exige pasar por el doloroso y arduo proceso de encontrarte a ti mismo, aprender una buena profesión y crearte una vida. Y todo esto es especialmente difícil de alcanzar en un mundo que no apoya este profundo y largo proceso. La mayoría de la gente sólo piensa en las necesidades más inmediatas del dinero y de un trabajo soportable y la mayor parte de las compañías no se preocupan demasiado por la vocación de sus empleados.

Hoy en día quizá no acabamos de ver que el lugar de trabajo es un laboratorio donde se resuelven las cuestiones del alma. Tendemos a centrarnos en asuntos más inmediatos como el salario, las tareas que nos encomiendan y los ascensos, sin tener en cuenta que los progresos en la vida laboral nos ayudan en gran medida a darle sentido a la vida. Trabajar en aquello que nos gusta y mantener unas relaciones en el lugar de trabajo que nos ayuden como personas puede hacernos sentir en paz y satisfechos en casa y con nuestra familia.

Un estudio reciente sobre cómo se sienten los norteamericanos con relación a su vida laboral concluyó que en la actualidad aunque estén más satisfechos con su trabajo de lo que lo estaban hace treinta años, creen que su trabajo influye negativamente en su vida personal, porque trabajan más horas y tienen menos tiempo para dedicarlo a la familia, a la salud y a las aficiones. Las tecnologías modernas, como el correo electrónico, difuminan las fronteras entre el trabajo y el hogar. Las compañías también están ofreciendo menos beneficios y animan a sus empleados a trabajar más para obtener beneficios adicionales y opciones sobre acciones. Hoy en día la relación entre un trabajo que nos llene y el sentirnos felices en la vida personal es más importante que nunca.

Mi amigo Scottie es un buen ejemplo de ello. Al principio cuando le conocí me pareció una persona llena de entusiasmo y de talento. En aquella época lo envidiaba y aún sigo haciéndolo cuando lo veo relajado y simpático, o mostrando a nuestro círculo de amigos su último lienzo. Tiene un talento y una personalidad extraordinarios. Oí hablar de los problemas que tenía con el trabajo, pero creí que todo cuanto necesitaba era buscar un poco a su alrededor y encontrar una empresa que reconociera lo valioso que podía ser para ellos. Ingenuamente le escribí una carta de recomendación pensando que resolvería el problema de mi amigo de golpe. En aquella época sólo veía su vida por encima, pero ahora la contemplo con más profundidad.

Con el paso del tiempo me enteré de que tenía otros serios problemas, que su vida familiar, que tan tranquila parecía desde fuera, era por lo visto problemática y estaba siempre a punto de deshacerse. Me sorprendí al oír que tenía un problema con el alcohol y que sus ocasionales ataques de rabia hacían que su familia le temiera y que su matrimonio estuviera a punto de romperse. En las reuniones sociales mi amigo atraía a la gente como un imán, pero su vida privada era trágica.

Scottie tiene un serio problema para encontrar el trabajo adecuado, conservarlo y sentirse satisfecho y realizado con él. Y al decir que tiene un serio problema no estoy exagerando, ya que tiene muchas probabilidades de perder a su extraordinaria y talentosa mujer y a sus tres increíblemente prometedores y creativos hijos.

Sea cual sea el origen de su problema, la agitada alma de Scottie está centrada ahora en su incapacidad para encontrar el trabajo que está destinado a hacer en la vida. Consigue algunos que le ofrecen dinero y una cierta satisfacción, pero sigue sintiendo que no son los adecuados para él. Esta situación le frustra e irrita tanto que le aleja de su familia y de sus amigos. No deja que nadie le eche una mano y no parece llegar a la raíz de su problema.

Scottie es como mucha gente que intenta resolver el problema que tiene con el trabajo a un nivel puramente práctico: adquiriendo una nueva formación, probando una nueva profesión y juzgando el éxito laboral según lo sustanciosa que sea la paga. Pero en realidad, el proceso de encontrar un trabajo, desempeñarlo y afrontar las relaciones que se dan en él tiene mucho que ver con la familia, las vivencias personales y las cuestiones relacionadas con la personalidad. Para llegar al origen de una frustración seria hay que tener en cuenta todo el conjunto: tanto tu pasado como el presente, la visión del mundo de tu familia, tus experiencias laborales y los problemas personales que llevas al trabajo.

Al intentar encontrar un trabajo quizá pruebes distintas carreras o profesiones, presentándote a entrevistas de trabajo y experimentando con distintos empleos, pero para conseguir el trabajo que estás destinado a hacer en la vida debes trabajar con las profundas y crudas emociones del pasado y con las relaciones de las que necesitas ocuparte. Las raíces de los problemas que la gente tiene con el trabajo son muy hondas y a la larga lo único que es eficaz es una solución profunda.

Si tienes algo en común con Scottie te recomiendo que te pares a observar con detenimiento toda tu existencia. En este libro encontrarás una larga lista de elementos a tener en cuenta en el inventario de la experiencia de tu vida. Considera que cada aspecto de ella está conectado con los demás y profundiza siempre más de lo que creas que hayas de profundizar.

ESTANCADO: LA SENSACIÓN
DE NO ESTAR YENDO A NINGUNA PARTE

La frustración en el trabajo puede tomar muchas formas. Una queja que suelo oír es la sensación de no estar yendo a ninguna parte. Rose, la madre de una amiga de mi hija, recibió una educación excelente y sigue siendo una mujer hábil y creativa. Tiene aptitudes, inteligencia y una brillante personalidad, pero los trabajos le duran muy poco. Aunque pruebe un empleo tras otro, parece estar yéndose por las ramas en la vida en lugar de avanzar. No se está acercando a lo que ella quiere ser. Se siente estancada, atrapada y a veces incluso como si estuviera retrocediendo.

En la actualidad es muy común oír a hombres y mujeres tanto mayores como jóvenes quejarse con sentido del humor o con tristeza exclamando: «¿Qué voy a hacer con mi vida?» o «¿Qué voy a ser de mayor?» La gente dice esto a los cincuenta y a los sesenta, o sea que aún no saben exactamente quiénes son ni lo que están destinados a hacer. Yo he oído a Rose decir: «No sé qué es lo que se supone que debo hacer con mi vida. Lo único que sé es que esto no es lo que yo quiero».

«¿Qué voy a ser de mayor?» es una elocuente pregunta que sugiere con fuerza que uno siente que aún está en el inicio de su vida, incluso quizá que se ve como un niño, inmaduro, sin haber progresado lo debido. La risa que acompaña a esta confesión oculta la preocupación y la ansiedad que produce la situación. «¿Maduraré algún día? ¿Llegaré a triunfar?»

Si una persona con un problema como éste viniera a mi consulta, yo analizaría de dónde procede la importante imagen que se ha hecho de sí misma. ¿Desempeña un papel en otras partes de su vida? ¿Viene de su familia y de una experiencia de la infancia? Afrontar los problemas que no están relacionados con el trabajo puede ayudarla a resolver tanto el profundo problema emocional que tiene como el hecho de no poder encontrar la profesión adecuada.

Mi amigo Scottie por lo visto ha ido acumulando una pila de rabia y depresión a lo largo de los años. Sabe que es capaz de hacer cosas increíbles, pero es incapaz de llevar a cabo un proyecto. Esta brecha entre la ambición y los logros puede ser dolorosa de contemplar. No está yendo a ninguna parte, aunque no es porque se pase el día sentado sin hacer nada, sino por intentar una y otra vez hacer algo valioso que merezca la pena sin conseguirlo de manera duradera.

Scottie está enojado consigo mismo por ser un fracasado, pero proyecta su rabia en su familia, porque los tiene al alcance de la mano y sabe que guardarán sus secretos: su alcoholismo, su ira y sus fracasos. Los empleados descontentos descargan su agresividad en las personas de su alrededor, y lo mismo ocurre de una forma más sutil en las familias. La frustración de no saber qué hacer con nuestra vida ni cuál es el trabajo para el que estamos hechos se transmuta en enjuiciamientos, rabia y por último en agresividad. La sensación de no estar yendo a ninguna parte es un serio problema.

Mucha gente cree que siempre debes estar yendo a alguna parte, que debes estar siempre «ascendiendo» con el ascensor, progresando en la vida. Pero son muchas las personas que no están yendo a ningún lado y sobre todo que no están «ascendiendo». Se sienten atrapadas en un trabajo que creen está muy por debajo de sus posibilidades, muy alejado de sus modelos y de sus expectativas. Puede que nunca hayan encontrado ningún trabajo que se acerque siquiera a sus sueños y esperanzas. Es posible que sus amigos se preocupen al verlas dedicándose a algo que está muy por debajo de sus aptitudes y de su visión.

Las que se encuentran en la cima del mundo laboral también pueden sentirse estancadas. Después de conseguir el éxito con el que habían soñado, siguen sintiéndose vacías. He conocido a muchas personas ricas y exitosas con este problema. Deberían ser felices, pero no lo son. En muchos casos es evidente que las recompensas materiales no les han dado a estas «afortunadas» personas la profunda satisfacción que anhelaban. Más tarde es posible que descubran en el juego que eligieron el camino equivocado o que rechazaron una oportunidad que les habría aportado menos dinero pero más felicidad.

A veces nos desanimamos al no lograr encontrar el trabajo adecuado y buscamos un empleo poco estimulante, mal pagado y sin futuro. Nos castigamos por no triunfar en ello asegurándonos de que no vayamos a hacerlo. En un determinado momento, mientras Scottie se debatía con su problema, aceptó un trabajo de poca monta en un concesionario de automóviles, aunque no le interesara lo más mínimo ni estuviera hecho para él.

En mi opinión es evidente que el fracaso laboral de Scottie tiene unas profundas raíces que quizá se encuentran en su pasado, pero sin duda tiene que ver con sus emociones y sus relaciones. Cuando los problemas con el trabajo van ligados a otros problemas emocionales, como los relacionados con el matrimonio, la familia y los cambios de humor, es evidente que la única forma de resolverlos es haciendo frente a lo que Zorba el Griego llamaba «la catástrofe entera».

HACIENDO FRENTE AL MUNDO

El desencanto de no encontrar un trabajo que nos llene no es lo único que nos hace sufrir y nos deprime. El mundo también nos juzga, alberga unas expectativas sobre nosotros, nos exige que hagamos las cosas a su manera y no a la nuestra. La frustración que nos produce nuestra situación laboral suele venir tanto de fuera como de dentro.

La gente se vuelve moralizadora sobre el trabajo. Te dice que deberías ganar un buen sueldo, emplear tu talento, ampliar tus estudios, fijarte objetivos y metas, y ceñirte a un plan. Pero según estos baremos, la mayoría de las personas creativas que han existido a lo largo de la historia parecerían estar cometiendo un gran error, ya que vivieron dejándose llevar por el azar, la inspiración y la experimentación.

Quizá creas que ya has probado demasiadas profesiones, que eres demasiado mayor como para encontrar el trabajo que estás hecho para hacer o que no tienes el talento o la vocación necesarios para realizar nada significativo. Tal vez los demás te han juzgado con tanta dureza que has dejado de confiar en ti. En medio de tu dolor puede que hayas intentado evadirte con el alcohol, las drogas o con alguna otra distracción y estas adicciones te han hecho fracasar en el trabajo.

Se necesita un ego muy sólido para resistir los ataques de las críticas bienintencionadas y no tan bienintencionadas. Pero las personas inseguras en el trabajo por definición no tienen un ego fuerte. Son vulnerables a los ataques. Se caen fácilmente cuando las empujan. La gente con poder quizás haya pasado por unas pruebas parecidas y ahora inconscientemente obliguen a sus subordinados a ser tan infelices como lo fueron ellos.

Para afrontar esta clase de presiones debes ser leal a tu esencia o a la persona que sabes que puedes ser. Los que te rodean buscarán las evidencias de tu éxito, pero tú quizá tengas que confiar en las cualidades que aún no has revelado, de lo contrario podrías derrumbarte y venirte abajo a causa de las críticas y las expectativas de los demás.

Muchas personas creativas que han contribuido en gran medida al progreso de la raza humana no fueron de buenas a primeras líderes o triunfadores. Les llevó un tiempo madurar hasta convertirse en las destacadas figuras que acabaron siendo. Un buen ejemplo de ello es Sting, el cantante de rock. No sólo es un músico magnífico sino también un excelente escritor, tal como lo demuestra en su autobiografía *Broken Music*, escrita con una gran agudeza y sinceridad. En ella narra la época en que intentaba ganarse la vida y descubrir su vocación. Trabajó como albañil en el sector de la construcción, luego fue cobrador de autobús y finalmente funcionario. Más tarde llegó a ser profesor en un colegio. Fue en aquella época cuando decidió arriesgarse y se convirtió en un músico profesional.

Intenta imaginarte a Sting dándote el billete en un autobús. ¿Y si mientras te lo entregaba te hubiera comentado: «No sé qué hacer con mi vida. No quiero estar haciendo este trabajo hasta que me jubile»? Sabiendo que Sting ha acabado siendo una persona rica y famosa, la pregunta no tiene sentido. Pero, ¿cómo fue de un lugar al otro? Recuerda que no sabía que iba a convertirse en Sting. Podía haberse pasado toda la vida siendo un cobrador de autobús, lo cual quizá no hubiera sido una catástrofe, pero entonces no habría podido encontrar la forma de expresar su infinita creatividad.

En su autobiografía describe lo patética que era su vida en aquella época. Para ser funcionario tuvo que rellenar un formulario y a la pregunta de cuáles eran sus aficiones, lo único que pudo contestar fue «pasear». También le preguntaron qué periódicos leía, e intentó recordar los nombres de los periódicos que veía en los quioscos desde el autobús. En su libro dice: «Pienso que habría conseguido el trabajo si lo único que hubieran hecho hubiera sido poner un espejito frente a mi boca para comprobar si se empañaba», hasta ese punto la entrevista carecía de atractivo para él.

La escena que Sting pinta carece de estímulos y de vitalidad, y es una escena que puedes encontrar en la vida moderna. La gente compite por unos trabajos por los que no vale la pena competir. Quieren tener un trabajo inspirador y estimulante, pero a menudo descubren que en él sólo les piden ser puntuales, hacer acto de presencia y fichar al salir.

No estoy diciendo que los trabajos corrientes y mal pagados no puedan ser inspiradores. Lo importante no es lo prestigioso que sea, sino la actitud de los que lo dirigen y lo realizan. La imagen de Sting es muy poderosa: colocar un espejito delante de su boca para ver si estaba vivo. En muchos lugares de trabajo hay una cualidad propia de zombies y ese ambiente de «muertos vivientes» denota una pérdida del alma. Hay muchas personas que están sufriendo porque su trabajo carece de alma.

En numerosas ocasiones he oído a hombres o a mujeres decir de su trabajo: «Un robot podría hacerlo». Se sienten como «la rueda de una máquina» o como parte de una gran y fría compañía. Es como si todo su esfuerzo no sirviera para nada. Sólo ven que están invirtiendo la mayor parte de su tiempo para el lucro de otro o en la fabricación de unos productos que no importan demasiado a la larga.

Pero el espíritu humano palpita, canta y a veces se eleva incluso en las situaciones más tenebrosas. Hay algo en nosotros que nos empuja a seguir creyendo que llegará un día más radiante y una situación mejor. Estas sensaciones y pensamientos acerca de que un día seremos libres y triunfaremos en la vida son muy importantes. Puedes mantenerlos vivos, alimentarlos e irlos poco a poco haciendo realidad. A veces los demás ven como una ingenuidad que seas leal a tus sueños, pero las numerosas historias de personas que han triunfado en la vida nos indican que al confiar en sus aptitudes lograron seguir adelante y al final se sintieron realizadas.

Es muy positivo leer las biografías de personas que han encontrando un trabajo que les llena, sobre todo cuando te desesperas al creer que no vas nunca a dar con el trabajo adecuado. Aprenderás lo bajo que alguien puede llegar y que, por imposibles que parecieran sus posibilidades de triunfar, al seguir confiando en sus aptitudes acabó lográndolo. Los valores que descubrieron cuando las cosas les iban mal y se sentían estancadas las enriquecieron y ahora realizan su trabajo con una mayor profundidad.

Sting es un buen ejemplo de ello. Como músico famoso, canta con sinceridad sobre las pasiones y las emociones humanas. Su experiencia como maestro ha aportado riqueza a la letra y a las ideas de sus canciones. Y al haber conseguido salir de las oscuras profundidades, sabe llevar su éxito con una inusual madurez. Más tarde decidió arriesgarse en su carrera musical y grabó las canciones clásicas de John Dowland, un compositor inglés, famoso por su lírica sobre la depresión y las pérdidas.

Lo importante no es sólo triunfar en la vida sino también convertirte en una persona más profunda, compleja y madura a través de las dificultades que has vivido. Dejas que la alquimia de tu retador viaje se grabe en tu carácter para que tu personalidad se enriquezca. Entonces cualquier trabajo que hagas tendrá la cualidad de tu experiencia y tu capacidad para madurar a través de él. El gran mal de nuestra época es realizar un trabajo que carece de alma. A nivel individual y social vale la pena afrontar la infelicidad que nos causa nuestra profesión y descubrir las profundas raíces del descontento que sentimos. El antiguo arte de la alquimia nos muestra el camino: observa tu profunda y compleja vida interior, vuélvete más sensible a tus relaciones, reflexiona en el pasado a fondo y usa tu imaginación al máximo. Trabaja a partir de la base, hasta descubrir la profesión que hará que tu vida valga la pena.

En los siguientes capítulos encontrarás técnicas para que tu alma cobre vida y poder así tener esperanzas en el futuro. Contienen estrategias para percibir lo más profundo de tu ser y tu visión del mundo, para descender hasta el fondo y ascender hasta la cima, y llegar a conocerte por completo. Sólo cuando lo hayas hecho podrás ver cuál es la actividad que hará que tu vida merezca la pena.

2

La llamada interior

El Dios del oráculo de Delfos no transmite claramente
los mensajes ni los oculta, simplemente da señales.

right
HERÁCLITO

Mahud era un hombre sencillo que vivía en un pueblecito y que se ganaba la vida vendiendo hortalizas en un concurrido mercado. Se sentía satisfecho con su vida y le gustaba el trabajo que hacía. Pero un día el ángel Khabir se le apareció y le pidió que se arrojara al río. Él, sin pensárselo dos veces, se lanzó al agua.

La corriente lo arrastró río abajo hasta que un pescador le lanzó una cuerda desde la orilla y logró rescatarlo. Aquel hombre le ofreció un trabajo y una pequeña habitación en la que poder vivir. Mahud agradeció su bondad, aceptó el empleo que le ofrecía y trabajó felizmente durante tres años. Pero de pronto el ángel Khabir se le volvió a aparecer y le anunció que debía partir.

Mahud le obedeció en el acto y fue viajando de pueblo en pueblo hasta llegar a un lugar donde un hombre le ofreció un trabajo en su tienda de telas. Mahud no tenía ninguna experiencia en aquella actividad, pero aceptó el trabajo, aprendió el oficio de comerciante y trabajó en la tienda siendo relativamente feliz, hasta que el ángel se le volvió a aparecer y le dijo que tenía que irse. Mahud estuvo haciendo una serie de trabajos de lo más variados durante años, siguiendo siempre las instrucciones del ángel.

Cuando Mahud era ya anciano, se había ganado la fama de ser un santo varón. La gente enferma iba a verlo para contarle sus preocupaciones y suplicarle que los curara y aconsejara. Un día, un hombre que había ido a visitar el pueblo le preguntó: «Mahud, ¿cómo has llegado hasta aquí?»

Tras reflexionar durante un momento, Mahud le respondió: «¡Es difícil de decir!»

Le resultaba difícil de decir porque el único talento de Mahud era su actitud abierta ante las instrucciones del ángel, cuyo nombre significa «El plenamente consciente». Mahud tenía la valiosa facultad de reconocer la llamada que le invitaba a cambiar de trabajo y su corazón estaba lo bastante abierto como para seguirla.

Esta historia trata sobre la vocación y la obediencia a la llamada interior. Pero hay que recordar que la raíz de la palabra *obediencia* significa «escuchar». Para encontrar tu camino debes fijarte en las señales que te indican cuándo cambiar de trabajo, cuándo dejar el estado de estancamiento y volver a unirte a la corriente de la vida, y cuándo retirarte a una vida dedicada a la sanación y a las enseñanzas.

Desgraciadamente para nosotros, no creo que un ángel se nos vaya a aparecer físicamente y nos diga qué es lo que debemos hacer a continuación. Pero el ángel de la historia representa algo que es real para todos nosotros: la sensación de tener un destino, una vocación y una dirección en la vida. La palabra *vocación* viene del latín *vocatio*, que significa llamar. La vocación es una llamada interior.

¿Por qué la sensación de seguir una dirección en la vida se llama «vocación»? ¿Sólo la voz del ángel es sobrenatural o mística? ¿O es algo natural que la vida nos «hable» para darnos unas pistas de hacia dónde tenemos que dirigirnos? En realidad la pregunta no es si el mundo nos indica que sigamos una determinada dirección, sino si nosotros somos capaces de interpretar la información que nos transmite. No solemos profundizar en los acontecimientos de la vida y sólo los abordamos prácticamente. Una alternativa a esta actitud sería percibir los acontecimientos como símbolos, imágenes y señales.

Voy a poner el ejemplo de un cambio decisivo que experimenté en mi propia vida. Durante trece años fui seminarista católico y hermano en una orden religiosa. Había estudiado espiritualidad, teología, filosofía y la Biblia. Estaba totalmente preparado para el sacerdocio. Pero al ir por primera vez a una parroquia corriente y dar un sermón no como sacerdote sino como futuro sacerdote, me quedé impactado al ver el abismo que había entre mis estudios y las ideas, y las opiniones mucho más tradicionales aún, de los feligreses a los que me estaba dirigiendo. La experiencia fue chocante para mí y me la tomé como una señal para replantearme mi vocación. ¿Estaba destinado a lidiar la batalla de una teología liberal contra las autoridades eclesiásticas y una comunidad conservadora? ¿O debía cambiar de profesión? Interpreté las señales cuidadosamente y después de mantener una difícil lucha intelectual y emocional conmigo mismo, decidí probar algo nuevo.

El mundo concreto, visible y material nos está hablando todo el tiempo, sólo tenemos que escucharlo. No tienes por qué hacer exactamente lo que las señales te indiquen, pero te aconsejo que las tengas en cuenta al evaluar el estado de tu vida laboral. Por ejemplo, si estás fracasando constantemente en una línea de trabajo, quizá tus problemas no procedan de una carencia o de tus errores, sino simplemente de haber elegido la profesión equivocada.

También debes observar tu vida interior hasta el punto de descubrir cuál es tu vocación a través de las indicaciones interiores: quizás una determinada clase de trabajo o una agradable ensoñación te produce un gran interés, una atracción, un profundo placer o alegría. En cambio, si un trabajo te genera una sensación desagradable o molesta, puede que sea una señal de que tienes que dedicarte a alguna otra cosa. Las dificultades laborales pueden provenir de muchas causas distintas, como no estar hecho para aquel trabajo. O quizá signifique que tienes que aprender determinadas lecciones y necesitas conservar el trabajo. Debes poder interpretar en tu interior la insatisfacción y los problemas que experimentas en el trabajo para descubrir lo que significa y tomártelos como señales y actuar en consecuencia. Uno de los objetivos de este libro es mostrarte cómo captar e interpretar estas señales.

En una ocasión, a un colega mío de la universidad, le denegaron una plaza fija como profesor, pero él luchó con todos los medios que se le ocurrieron para conseguirla. Los dos teníamos un carácter muy distinto y tal vez fue algo natural que él luchara en aquella situación y que yo, en cambio, cuando me ocurrió lo mismo, lo interpretara como una señal de que debía cambiar de trabajo de nuevo. Aunque sigo pensando que él habría sido más feliz si hubiera sido más flexible en general y estado más dispuesto a escuchar la guía que la vida a su alrededor le ofrecía. Tuve la sensación de que no podía imaginarse haciendo otra clase de trabajo y siguió realizándolo aunque todos las señales le señalaran que debía seguir una dirección distinta.

Las señales que te indican que debes dejar el trabajo, conservarlo, o cambiar algo de tu situación te llegan de muchas formas. Puede ser un problema en el trabajo, como en el caso de mi colega de la universidad. O el intenso deseo de dedicarte a otra profesión. Quizás inviertes más tiempo y energía en una actividad que en tu trabajo, lo que te indica que podrías intentar encontrar la forma de convertir esta actividad en tu trabajo habitual.

Conozco a una persona que estaba teniendo éxito en el negocio que había montado, pero dedicaba más tiempo a preparar cursos de gimnasia para los niños de un parque cercano que a llevar su empresa. Al final vio lo que estaba ocurriendo, dejó su negocio y decidió trabajar como profesor de gimnasia a tiempo completo en un colegio. Ahora es feliz con su trabajo y no se arrepiente de ganar menos dinero.

A veces es más difícil interpretar las señales. Puede que tengas dolores de cabeza, desórdenes estomacales o frecuentes resfriados que interfieren en tu trabajo. Esta clase de síntomas físicos por supuesto no tienen nada que ver con el trabajo, pero a veces reflejan la tensión y el estrés que produce hacer un trabajo que no te gusta o ejecutarlo de una forma que no te satisface.

Las tensiones en el matrimonio o en la familia también pueden estar relacionadas con la insatisfacción en el trabajo, sin embargo no solemos prestar atención a este tipo de señales. Suponemos que esta clase de tensiones tienen que ver con las relaciones familiares, pero la infelicidad en el trabajo puede transformarse en un profundo problema emocional que acaba extendiéndose a otras áreas de la vida.

Los psicoanalistas nos han enseñado a interpretar los acontecimientos de la vida cotidiana y las propias emociones con una considerable sutileza e imaginación. El acto o el objeto más corriente puede ser un símbolo de algo realmente significativo y arraigado.

Si cometes errores en el trabajo, quizá significa que te saboteas a ti o a tu jefe sin darte cuenta. Tu ira y agresividad pueden manifestarse de una forma tan indirecta que no te das cuenta de lo que estás haciendo. Pero si interpretas estos errores como señales, tal vez podrías reconocer tu ira y descubrir qué es lo que la está creando. Y entonces podrías tomar una decisión más inteligente sobre tu trabajo.

Si eres capaz de interpretar las señales en tu trabajo, podrás adaptarte a él y quizás evitar fracasos innecesarios. Como productor de televisión he conocido a muchas personas creativas, pero la más impresionante de todas es Robert, que por lo que sé nunca ha tenido un trabajo a tiempo completo. Hace documentales y produce programas televisivos muy imaginativos. Me dijo que es muy bueno creando ideas nuevas y plasmándolas en esta clase de programas, que acaban siendo todo un éxito. Pero siempre que intenta repetir un programa televisivo y hacer una serie de él, fracasa. De modo que ha encontrado la forma de ser siempre «el que empieza» el proyecto. Sólo se dedica a crear ideas novedosas y exitosas y luego se las pasa a otra persona para que las plasme en un proyecto televisivo.

Quizá no parezca una solución brillante, pero estoy seguro de que hay mucha gente que cree que debe llevar sus proyectos hasta el final aun sabiendo que van a fracasar. Robert tiene la imaginación y la libertad emocional necesarias para dejar a otro la parte del proyecto que sabe que no podrá hacer. Ha interpretado las señales y se ha adaptado a la situación.

¿QUIÉN TE LLAMA? ¿PARA QUÉ?

Una «llamada interior» es la sensación de haber venido a este mundo por alguna razón, la sensación de tener un destino, al margen de si es importante o no. Los que contemplan la vida con más escepticismo quizá se pregunten si esta actitud es justificada, porque parece pecar de ingenua. Pero la sensación de estar destinado a hacer algo en la vida no exige creer en nada sobrenatural ni tiene por qué ser ingenua. Una «llamada interior» es la sensación o la intuición de que la vida quiere algo de ti. Le da sentido a los actos más insignificantes de la vida y te ayuda a crear una fuerte identidad. Si tienes una misión en la vida no te sientes tan perdido. Sabes quién eres y lo que debes hacer. En una cultura en la que la angustia existencial —la sensación de que nada es importante y de que la vida no tiene sentido— sigue estando a la orden del día, la intuición de que la vida quiere algo de ti es muy valiosa.

Los que creen en Dios, en un poder más elevado o en la inteligencia de la naturaleza y la vida, no tienen ningún problema en reconocer que esta clase de intuición es verdadera, pero puede que crean que no está presente en su vida. Su problema tal vez sea hacerse demasiadas ilusiones, esperar que la vida les sirva su destino en bandeja, en términos absolutamente claros y concretos. Quizá quieren que les indique la dirección que han de seguir sin necesidad de realizar la búsqueda, la investigación y la selección que forma también parte de la condición humana.

En la década de 1980 ofrecí con frecuencia talleres y conferencias en el Instituto de Humanidades y Cultura de Dallas. Fue una excitante aventura trabajar con James Hillman, Patricia Berry, Gail Thomas, Robert Sardello y otras personas que desarrollaban la «psicología arquetípica» y exploraban el alma de una cultura. Una mujer llena de ambición y energía que participó en varios de mis talleres me dijo un día que sentía el intenso deseo de hacer el estimulante trabajo que los profesores del instituto realizábamos. Al oírselo decir me preocupé porque ella carecía de los estudios necesarios para unirse al resto de nosotros, que teníamos muchos años de formación académica a nuestras espaldas. Pero aquella mujer lo intentó de todos modos. Dio un taller y luego una conferencia. Como es natural no le salieron bien y fue embarazoso tanto para ella como para el instituto. Así que volvió a la ciudad de la que había venido e intentó hacer lo mismo allí. Fracasó de nuevo. Aquella mujer era profesora de baile y al final se le ocurrió la idea de enseñar a bailar de una forma que reflejara las ideas que había aprendido en el instituto. En su profesión era una bailarina muy buena y ha podido canalizar su vocación durante muchos años.

Aunque la revelación inicial de descubrir cuál es tu vocación en la vida sea una experiencia sumamente emotiva, se tiene que desarrollar aún. Quizá creas estar destinado a ser como alguien a quien admiras, pero entonces tienes que aprender a adaptar esta vocación a tus propias habilidades y temperamento. Puede que tu vocación tarde un tiempo en revelarse por completo, si es que lo hace. A lo mejor comporta probar distintos trabajos durante un tiempo, cometer errores y fracasar.

Como irás descubriendo en los capítulos siguientes, el caos y la vocación van de la mano. En medio de tu confusión y de tus tanteos, irás aprendiendo las leyes de la vida y sintiendo la carga de tu existencia. Lo cual no es malo, porque le dará cierto peso a tus pensamientos y personalidad a tu trabajo. Ya que si sólo dieras vueltas en medio del caos o si supieras a la primera cuál es tu vocación sin cuestionarte nada sobre ti ni hacerte preguntas, tus convicciones carecerían del peso y la intensidad de la vida real.

Nunca he oído a mi amigo Scottie hablar de vocación, de la necesidad de ayudar a los demás o del deseo de hacer realmente algo con su vida. Sólo parecen preocuparle los detalles del trabajo que realiza en ese momento. Nunca habla de su visión, salvo para decir que no sabe qué hacer con su vida. Quizá necesite tomar distancia, reflexionar sobre las cosas, mantener una gran conversación sobre la vida en general y descubrir al final cuál es su vocación.

Los monjes están hablando siempre de su vocación. No hablan de las facultades o deseos, sino de la llamada de Dios. Un trabajo que requiere una dedicación completa, como el de monje, tiene un alcance tan enorme que una simple aptitud no basta para explicar por qué uno ha elegido esa profesión. Al igual que ocurre con un médico o un político que se sienten llamados a servir a la humanidad.

La historia de Mahud sugiere que cualquier clase de trabajo es una vocación, por corriente que sea. Quizá pongamos en un pedestal ciertos trabajos, como el de los médicos y los políticos, y nos refiramos a ellos como una vocación, y no sepamos ver nuestra inclinación natural por el trabajo que estamos destinados a hacer en la vida. La mayoría de nosotros vivimos dentro de un contexto relativamente limitado y llevamos una vida sencilla. En la sencillez se encuentra la belleza y la satisfacción en parte porque la vida más sencilla puede seguir teniendo unas proporciones cósmicas por el significado y el sentido que nos ofrece.

Una persona especialmente hábil en cualquier oficio artesanal, como el de hacer cuencos de madera o joyas, participa en los valores universales de la belleza y la expresividad. Un contable o un administrador desempeñan un papel en la vitalidad económica de una comunidad e incluso de una nación. La honradez y la diligencia son esenciales tanto en las actividades pequeñas como en las importantes.

Samuel Beckett escribió una extravagante novela titulada *Mercier y Camier* sobre dos hombres que dan un paseo alrededor de la manzana. Beckett narra la historia como si aquel par de personas fueran Dante y Virgilio conversando sobre toda la creación. En ella emplea un lenguaje mítico y grandes conceptos hasta el punto de convertirla en una cómica absurdidad. Pero nuestras vidas son así: mientras llevamos nuestra pequeña existencia, topándonos constantemente con las grandes cuestiones del amor y de la muerte, de la sabiduría y la ignorancia, nosotros también somos cómicos. La sensación de tener un destino que alcanzar hace que nos mantengamos en contacto con este mundo más inmenso y da un profundo significado a las cosas que hacemos.

Es tentador exagerar el concepto de vocación, imaginarla como una gran revelación recibida en la cima de una montaña, como una declaración definitiva de quiénes somos y de lo que estamos destinados a hacer en este mundo. Pero Mahud tuvo distintas «vocaciones» que acabaron llevándole a la inesperada y final labor para la que estaba hecho: la sanación, dar consejos a los que los necesitaban y la santidad.

A fin de cuentas la actitud abierta de Mahud a sus numerosas vocaciones lo lleva a desarrollar un carácter de una extraordinaria profundidad y fuerza interior, hasta el punto que la gente va a verle para pedirle ayuda. Él no desarrolla sus habilidades como sanador de los trabajos que va haciendo a lo largo de su vida, sino que es su actitud abierta lo que le permite conocer lo que ha venido a hacer a este mundo, y al llegar a este punto es obvio que los trabajos que hizo hasta ese momento no fueron simples trabajos, ya que le ayudaron a desarrollar interiormente su carácter. Ambos son inseparables: el trabajo que realizamos y el *opus* del alma.

ESTAR DISPUESTO A CAMBIAR

La idea que tienes de una carrera puede volverse monolítica. Te pasas años estudiando y aprendiendo para adquirir la formación necesaria para ejercer una profesión y crees que esta inversión es muy importante. Te identificas con tu trabajo y la idea de dejarlo por otro te resulta un cambio demasiado radical, porque para ti significa «cambiar quien eres».

La seguridad económica que has adquirido a lo largo de los años con tu profesión te da una cierta flexibilidad para buscar otras alternativas, pero quizá te impida dejar tu trabajo para probar otro. Para mucha gente la seguridad económica se convierte en una pesada carga que no les deja plantearse un cambio serio en la dirección de su vida.

La idea de una vocación también puede volverse monolítica. Crees estar hecho para la medicina y no puedes imaginarte haciendo nada más. O crees que la música es lo tuyo, pero trabajas en la estafeta de correos y tocas en una banda musical los fines de semana. No puedes imaginarte trabajando sólo como músico porque no es la idea que tienes de ti.

De ahí que sea tan positivo tener en cuenta varias vocaciones en lugar de una sola. Puede que estés destinado a ser muchas cosas distintas a la vez o primero una y después otra. Quizás estés destinado a ser padre, bibliotecario, marido y mecánico, recaudador de fondos y artista. O puede que estés llamado a ser enfermero durante una parte de tu vida y descubrir más tarde una nueva vocación como calígrafo profesional. Mucha gente ha encontrado el trabajo de su vida después de cambiar varias veces inesperadamente de empleo.

Para algunas personas las distintas vocaciones que tienen se complementan las unas con las otras y se manifiestan como una unidad. Como en mi caso. Yo he sido monje, profesor, músico, terapeuta y escritor. Me he sorprendido al ver que al escribir sobre el alma, me han invitado a hablar en púlpitos de distintas religiones y denominaciones. Mientras subo las escaleras que me llevan al púlpito colgado en lo alto, a menudo pienso que cuando era un adolescente deseaba con todo mi ser poder convertirme en un sacerdote que hablara del alma. Y ahora aquí estoy yo, una persona casada que se gana la vida escribiendo libros y que, sin embargo, está haciendo de algún modo realidad su sueño de ser sacerdote.

Mi trabajo me ha llevado a entablar amistad con el actor Martin Sheen. Recuerdo que en mi juventud lo había visto en varias películas y me había quedado asombrado por su talento interpretativo. Pero él también es un activista social que apoya diversas causas. Incluso ha estado en la cárcel por ello. De modo que, ¿está hecho para ser un actor o un activista? ¿O ambas cosas a la vez?

Creo que es importante alimentar la profunda sensación de estar destinados a hacer algo en la vida sin obsesionarnos por ninguna forma de trabajo en especial. Esta capacidad para ser flexibles es quizás una de las virtudes más importantes relacionadas con la vocación, porque nos da libertad de movimiento. La vida no suele ser monolítica, unidireccional o inmutable. Al contrario, es una corriente que cambia constantemente, sortea los obstáculos y parece estar destinada al movimiento y a las transiciones. Si no nos adaptamos a este torrente de vitalidad, acabaremos aferrándonos a un trabajo o a una profesión y esta rigidez puede causarnos muchos problemas emocionales.

Cuando era joven a veces me criticaban duramente por dedicarme a los numerosos temas que me interesaban y por cambiar de profesión. Pero cuando me convertí en un escritor, los entrevistadores exclamaban maravillados al ver mi vida: «¡Qué interesante! Cuéntenos cosas sobre ella. ¿Cómo pudo ser tan polifacético?»

Si la flexibilidad es la primera virtud más importante al intentar descubrir tus vocaciones, la segunda es una filosofía policéntrica de la vida: la idea de poder dedicarte a más de una actividad. Ésta es la importante lección que aprendí en la temprana asociación que mantuve con el psicólogo James Hillman, que le da la vuelta a muchas de las suposiciones comunes para revelar las camisas de fuerza que hemos estado dispuestos a ponernos durante años. Según su opinión, una visión monocéntrica sobre cualquier cosa acaba creando una actitud rígida y moralizadora.

Los que me criticaron por perseguir tantos sueños distintos estaban hablando con una visión monocéntrica. Creían que sólo se podía alcanzar una meta cada vez y cuando sospechaban que yo me apartaba de lo establecido, me juzgaban negativamente. En muchas situaciones he aplicado como terapeuta el principio de la policentricidad de Hillman y he descubierto que es la piedra filosofal, un hallazgo que crea nuevas percepciones y soluciones. Hace maravillas cuando la situación parece no tener solución.

Una mujer me dijo en cierta ocasión: «Soy enfermera, pero también me interesa la psicología. Quiero ser artista. Me siento fragmentada. No consigo centrarme en una sola cosa en la vida». Pero en lugar de verla como una mujer «fragmentada», una palabra que denota un juicio de valor negativo, yo prefiero verla como una mujer «multitalentosa». En lugar de intentar centrarse en una sola cosa en la vida, yo me pregunto: «¿Cómo podría dedicarse a todas estas cosas que le gustan de una manera que se sintiera cómoda?»

Mucha gente cree que debe ser una *unidad*, es decir, que su vida y su trabajo han de ser como una sola pieza. Nunca se han cuestionado la palabra *unidad*, ni se la han imaginado de una forma que no les condicione a centrarse en una sola cosa en la vida. Una opción sería valorar una vida de trabajos multifacéticos, para dedicarte a los numerosos temas que te interesan.

A menudo esta presión aparece como un dilema: «¿Debería dejar mi trabajo de enfermera y trabajar como psicóloga? ¿Qué debo hacer, una cosa o la otra?» Quizá debas dedicarte a ambas e incluso a más aún. Necesitas tener una imaginación rica y flexible que te guíe hacia una solución en la que no te sientas dividido, en la que al menos puedas invertir tu energía en los diversos temas que te interesan. Los demás sin duda te juzgarán, porque el valor que predomina en la sociedad actual es el de una mentalidad unitaria y monocéntrica. Pero no tienes por qué compartirla. Puedes vivir aplicando la filosofía de la policentricidad: tener muchos centros de interés y atención.

«Quiero ser artista, pero me apasiona mi trabajo como director de una próspera empresa», observa un hombre. «¿No habría alguna forma de poder hacer ambas cosas?» ¿Recuerdas a Wallace Stevens, uno de los grandes poetas norteamericanos? Era abogado de una compañía de seguros y al parecer prosperaba en su trabajo aunque escribía complejos y brillantes poemas. Tenía muy claro por qué trabajaba de abogado en una empresa de seguros: «Como no me gustaba la idea de estar sufriendo todo el tiempo por el dinero y la pobreza no me atraía en absoluto, seguí trabajando como cualquier mortal y conservé mi trabajo durante muchos años».[1] Wallace Stevens apreciaba su trabajo de abogado y, sin embargo, escribió a su mujer que la poesía era lo que hacía que su vida valiera la pena.[2]

Barbara, una mujer a la que conozco desde hace muchos años y que ignora aún cuál es su vocación, dice que quiere dedicarse a hacer terapia familiar, aunque sabe muy bien que es una talentosa ilustradora. También sospecha que tiene otra vocación que está esperando a ser oída. Pero no sabe todavía exactamente cuál puede ser. A estas alturas podría al menos intentar distintas posibilidades a la vez, asistiendo, por ejemplo, a clases de psicología en la universidad al tiempo que trabaja como ilustradora por su cuenta.

Una vocación es la profunda sensación de que tu ser está implicado en el trabajo que realizas. Al dedicarte a él sientes que encajas en el esquema de las cosas. Le da sentido a tu vida y te llena. Te define y te aporta una serenidad esencial.

El trabajo que te resulta tan gratificante puede ir cambiando con el tiempo, ya que en distintas etapas de la vida puedes sentirte identificado con distintos trabajos. Y al final de tu vida quizá veas todos los trabajos que has realizado como decisivos, pues han compuesto la labor que estabas destinado a hacer en la vida y respondido a tu vocación.

En una ocasión asesoré a un sacerdote septuagenario que no creía estar hecho para esta vocación, aunque se hubiera dedicado a ella durante cincuenta años. Lamentaba haber dedicado toda su vida a una profesión equivocada y ahora a su avanzada edad se sentía amargado y deprimido. Traía a mi consulta las pinturas que creaba de sus sueños y se quedaba mirando sentado las sorprendentes y vistosas imágenes que había dejado en el suelo entre nosotros mientras los dos buscábamos una solución a su amargura. Lo había conocido en un curso que yo había dado sobre el arte como terapia y él estaba descubriendo que la expresión personal y la psicología le apasionaban. Por amargos que fueran su arrepentimiento y su depresión, la gente no lo rehuía, al contrario, se sentía atraída por él y era una persona muy querida. A mí me daba la impresión de que a pesar de haber visto tan tarde que no quería desempeñar del todo el papel que había hecho toda su vida, había sido un buen sacerdote y ahora estaba descubriendo una nueva vocación que le producía una verdadera satisfacción. Hablaba constantemente de su depresión, pero al mismo tiempo estaba encontrando una nueva vitalidad.

Creo que tenía con toda seguridad vocación para el sacerdocio, porque había hecho un buen papel en él. Pero había llegado a un momento de su vida en que había probado el mundo al que había renunciado por sus votos y ahora quería desesperadamente llevar una nueva vida. Era una situación triste y agridulce a la vez, porque su tristeza sólo hacía que fuera más humano y que se sintiera más conectado a las personas de su alrededor. Su alegría y su sentido del humor aunque estuvieran atenuados por la depresión, seguían estando presentes. Era un hombre que se debatía entre dos vocaciones, una estaba teñida por el arrepentimiento y la otra era al parecer imposible de alcanzar a causa de su avanzada edad. Al menos esto era lo que él creía. Pero al final su optimismo salió a la luz y, sin rechazar la corriente depresiva que sentía, logró convertirse en lo que para él era una nueva clase de sacerdote, ahora experto en orientar a los demás y en el arte como terapia, y más consciente de las luchas que lidiaba la gente en su interior.

SÉ FIEL A TU VOCACIÓN

Sentir que estás hecho para una profesión o un trabajo en concreto es muy valioso, ya que modela tu vida entera y te ayuda en tus relaciones al permitirte encontrar tu identidad mientras buscas el trabajo que estás destinado a hacer en la vida. Pero aunque descubras cuál es tu vocación, puedes seguir teniendo problemas, como le ocurría a aquel sacerdote, ya que las circunstancias pueden ir en tu contra.

A menudo sentimos el deseo de dedicarnos a aquello para lo que no estamos preparados o formados. Puede que nos cueste un gran esfuerzo estudiar a una avanzada edad o después de haber encaminado nuestra vida en una dirección distinta. Cuando era profesor universitario aconsejé a muchas mujeres que retomaran sus estudios en la universidad después de haberse pasado años criando a sus hijos. A estas mujeres no les resultó fácil pasar de ser amas de casa a estudiantes universitarias, y a mí siempre me impresionaba la valentía y la fidelidad con que la mayoría se entregaban al estudio de la profesión que tanto deseaban. En algunos casos el marido y los hijos no estaban de acuerdo con su elección y tuvieron que hacer realidad su vocación sin el apoyo de su familia. Muchas de ellas se avergonzaban de estar en una clase con jóvenes de la edad de sus propios hijos. Y sin embargo seguían adelante sin perder de vista la meta del trabajo que querían hacer en la vida.

No veían la universidad como algo totalmente distinto de la labor de criar a sus hijos, sino que su vocación implicaba ambas cosas: dedicarse a la familia y a un trabajo. Pero tuvieron que hacer la transición y fue lo más difícil para ellas. Recuerdo en particular a Patsy, una mujer que siempre había estado reuniendo fondos para causas comunitarias mientras se ocupaba de su familia. Cuando sus hijos crecieron y se independizaron, ella fue a estudiar a la universidad, se graduó, y se concentró en su trabajo para convertirlo en una profesión. Su habilidad para ayudar a organizaciones sin ánimo de lucro a recaudar fondos se convirtió en una profesión en lugar de seguir siendo una afición. Montó una oficina, contrató a varios empleados y captó a clientes. Su transición no fue hacia una nueva dirección en su vida, sino hacia un papel de líder más satisfactorio como profesional.

Cuando la gente tiende a valorar los modelos predecibles de éxito significa que vivimos en una época pragmática. Quizá tus amigos intenten hacerte alcanzar unas metas prácticas. En este ambiente no debes perder de vista tu vocación, aunque no siempre es fácil defender tu vida interior cuando el mundo exterior te está presionando para que no lo hagas.

Hay algo casi ingenuo en la disposición de Mahud a hacer todo cuanto el ángel le pida. Se lanza sin titubear al río, una antigua imagen de la corriente de la vida que fluye sin cesar. Está dispuesto a formar parte de ella. Este compromiso con la vitalidad va unido al compromiso con la vocación. Ambas cosas te llevan a un lugar que, de lo contrario, quizá nunca habrías conocido, pero en cuanto llegas a él sabes que es donde habías deseado estar toda tu vida.

3

El alma y el espíritu

La vida nos parece maravillosa durante un tiempo,
y luego venenosa. Pero no pierdas nunca la fe en ella,
después de todo sigue siendo maravillosa.
Lo único que necesitas es encontrar las maravillas
que te reserva. No las busques en ningún otro lugar
que no sea en ti, en los secretos parajes del espíritu
y en tus sensaciones ocultas.

WALLACE STEVENS

Hace muchos años descubrí la obra fundamental de Marsilio Ficino, un sacerdote italiano, teólogo, músico y terapeuta del siglo XV que inspiró a artistas, educadores e incluso a políticos a crear un mundo basado en los valores de la amistad, la belleza y la espiritualidad. Era un mago, una persona dotada de unos poderes especiales como sanador y maestro que no procedían de una simple formación o del conocimiento abstracto. Su madre era médium y él por lo visto heredó de ella una profunda y eficaz intuición. Marsilio Ficino decía que un mago es alguien que está conectado con las fuerzas y los misterios de la naturaleza como la rama de un árbol injertada a otro de una especie distinta.

Pasé muchos veranos de mi juventud en la granja que mi familia tenía en el norte del estado de Nueva York. Junto a la vieja casa había un árbol que daba dos clases distintas de manzanas y de ciruelas gracias al injerto que mis antepasados habían hecho un siglo atrás. Ésta es la imagen que Ficino da de un mago y yo añadiría que también consiste en estar conectado a tu alma: injertado a tu profunda naturaleza para que sus fructíferos jugos fluyan a través de ti.

En todas mis obras siempre he intentado reproducir el papel de mago de Ficino para aportar más valores humanos a nuestro mundo. Quizá necesites recurrir a la magia para encontrar el trabajo que te devuelva la salud y te haga sentir vivo por dentro. Si no estás injertado a tu naturaleza y al manantial de tu vida, puede que estés haciendo un trabajo árido y estéril. No te sientes bien realizándolo porque no forma parte del sistema que incluye las tres partes tuyas: tú, tu naturaleza y tu trabajo. No estás vinculado a él y no te da el jugo vital que el alma proporciona.

Estar injertado al alma significa abrirte a la vida que se halla en el fondo de tu ser y dejar que se fusione en una carrera profesional o en alguna otra clase de trabajo. La profesión que decidas hacer fluye de quien tú eres: de tus intereses, gustos, esperanzas y valores. Mientras la ejerces sientes que estás haciendo algo en consonancia con tu naturaleza. No estás trabajando en tu contra ni actuando en contradicción con la persona que eres.

Para descubrir cuál es tu vocación deja de buscar desesperadamente el trabajo adecuado, observa tu vida entera y entra en contacto con la fuente de tu vitalidad. Si empiezas examinando quién eres y la corriente de vida que sientes fluir en ti, gozarás de estabilidad mental mientras buscas y experimentas. Tu búsqueda será como un manantial brotando de la fuente de tu naturaleza en lugar de ser la desesperante búsqueda de una profesión o de un empleo adecuado. Ficino mismo llevó una vida curiosa pero sumamente creativa. Cuando era muy joven el acaudalado Cosimo de Medici propuso a la familia de Ficino un trato. Si Marsilio aprendía latín y griego y se convertía en un hombre de letras, le regalaría una villa cerca de Florencia donde Marsilio podría ser su consejero intelectual y su traductor. El padre de Ficino, que era médico, aceptó el trato. Su hijo se pasó la vida estudiando, traduciendo y reuniendo a gente para conversar de distintos temas e intercambiar ideas. Reunió la música, la pintura, la literatura y la arquitectura y al final acabó haciéndose sacerdote.

Dudo de que a mí, o a mis lectores, nos ofrezcan algún día una villa en la Toscana, pero hay algunas formas de emular a Ficino. Podemos por ejemplo ver la profesión que estamos destinados a hacer menos como un típico trabajo y más como el cultivo de la belleza, la curación, el espíritu comunitario y la amistad. Ficino escribía a menudo sobre la importancia de la amistad. El trabajo que finalmente decidas realizar en tu vida estará influido por tu interés en las cuestiones del alma, y puede que aprendas que la vocación que sientes por él surge de un corazón y una imaginación que has estado cuidando y educando durante años. Tu visión de la vida te da la base para decidir a qué quieres dedicarte en ella.

Ficino describió el alma como el factor central unificador que necesita estar viva tanto en uno mismo como en la sociedad. Pero tenemos una cultura laboral sin alma dedicada a la productividad maquinal y a las recompensas del ego medidas en términos de éxito, dinero, prestigio y ascensos. A simple vista quizá parezca poco viable aprender la lección de Ficino y hacer que una vida con alma sea tu principal meta, pero puedes cultivar el alma en tu vida y en la sociedad y apasionarte al mismo tiempo tu trabajo. Este capítulo te muestra la maravillosa sensación que te produce tu trabajo cuando sabes quién eres, en alma y espíritu.

RESPIRA CON EL ALMA

El alma es lo que te hace ser una persona única, un ser humano con sentimientos profundos y la capacidad de mantener relaciones sólidas. Tu alma se siente más viva en compañía de tus amistades queridas, en las reuniones familiares y cuando te ocupas de tu hogar. Y sin embargo no es fácil definirla o incluso describirla con claridad, ya que es el elemento misterioso en la percepción de quién eres y en el mundo en el que decides participar.

Al escribir sobre el alma, Heráclito, el filósofo griego, destaca: «Su misterio es tan profundo que por más caminos que tomemos es imposible encontrar los límites del alma». *Profundo* es quizá la palabra más adecuada para describir la experiencia del alma: sensaciones profundas, pensamientos profundos, asociaciones profundas, proyecciones profundas. El alma está presente en las circunstancias más cotidianas de la vida y es la que al mismo tiempo les da una cualidad misteriosa y profunda.

La tradición relaciona el alma con la respiración tanto en el sentido literal como metafórico de la palabra. Si respiras significa que tienes un alma y que das signos de vida. Pero también necesitas respirar de una forma menos literal, inhalar y exhalar la vida: ganando y perdiendo, sintiéndote feliz y sintiéndote triste, empezando un proyecto y terminándolo, empezando una relación y poniéndole fin. Este es el ritmo agridulce de una vida activa y también el signo de tener un alma. A veces la gente se queda estancada y el ritmo natural de la vida se detiene. No pueden inhalar nuevas posibilidades o exhalar los antiguos hábitos mentales de siempre. La psicología lo describe como un estado de fijación, de quedarse atrapado en una relación, en una imagen de ti mismo o en un hábito problemático. Pierdes el alma cuando la vida no puede seguir su ritmo natural y la pérdida del alma es la causa más importante de sentir una profunda insatisfacción.

Todos nos quedamos estancados en algún momento de nuestra vida. Conozco a un matrimonio que tiene dos hijos talentosos y buenos, pero que entiende el ser padres como ejercer una dura autoridad. Así es como han criado a sus hijos y es la única forma que conocen de actuar. Sus hijos son infelices y de vez en cuando reaccionan contra sus padres suspendiendo en el colegio. Es como si lo hicieran adrede para decepcionarles.

En una conversación que mantuve con el matrimonio vi enseguida que no podían cambiar la rígida idea que siempre habían tenido de cómo criar a los hijos. Se limitaban a imitar a sus estrictos padres y se habían quedado atrapados en una fantasía, estancados en una filosofía de la que no eran conscientes y que, sin embargo, estaba creando muchos problemas en su hogar. Deseaban explorar nuevas posibilidades, pero los hábitos que habían heredado estaban tan arraigados que no se daban cuenta de hasta qué punto les condicionaban.

Estos padres podrían dar a sus hijos un poco de espacio, crear un ambiente en el que pudieran respirar a sus anchas: triunfar y fracasar, experimentar y aprender valores importantes, jugar a tope y trabajar a tope. Pero en la forma de criar a sus hijos no se veía ningún signo de que les estuvieran dejando respirar, al contrario, en el hogar flotaba una atmósfera tensa y llena de ansiedad. En ella nadie podía alcanzar cómodamente sus sueños de ser feliz porque aquel matrimonio sólo veía las expectativas que había puesto en sus hijos.

AMA TU TRABAJO

Cuando el alma está viva en tu cuerpo puedes vincularte con otras personas, implicarte a fondo en la vida y sentirte conectado con quienes te rodean y con lo que haces. La conectividad es otra característica del alma. En tu trabajo no sólo es importante desear triunfar y ganar dinero, sino que también debes interesarte profundamente por el valor de lo que estás haciendo y por el resultado o el producto que creas. Si por un momento te olvidas de la connotación romántica y sentimental de la palabra *amar*, se podría decir que debes amar tu trabajo y aquello que estás creando. Las personas que se sienten frustradas con su trabajo suelen afirmar que no les gusta lo que hacen y que por esto no les apetece levantarse para ir a trabajar. El amor es la fuerza que nos empuja a llevar a cabo el trabajo para el que estamos hechos.

Los griegos de la antigüedad hablaban de la unión de Eros, el espíritu del amor, con la Psique, el alma. Cuando tienes un alma eres capaz de amar tu trabajo y las cosas que creas en él. La mayor parte del sufrimiento en el trabajo viene de la falta de amor, un estado que también implica la pérdida del alma. La antigua imagen de Eros y Psique es una afectuosa pareja que sugiere que para amar tu trabajo debes ponerle el alma, y para poder ponerle el alma te ha de gustar de algún modo.

Amar tu trabajo no significa que tenga que encantarte a cada momento o que te apasione todo en él, sino que puede ser simplemente un silencioso tararear de fondo, la sensación básica de que el trabajo que estás haciendo es importante, que encaja contigo y que colma tu deseo de alcanzar algo.

Algunas personas aunque trabajen duro en una profesión que les resulta difícil, siguen sintiendo en el fondo de su ser que es el trabajo que desean hacer. El amor puede ser una fuerza sutil, estable e invisible. Y sin embargo no está presente en muchas personas. Sienten que han elegido la profesión equivocada. Tienen que hacer un gran esfuerzo para levantarse por la mañana e ir a trabajar porque no fluye en ellos esta profunda y motivadora fuerza invisible del amor.

Son, volviendo a la imagen de Sting, como una persona que no empaña el espejito, como alguien que no respira. El ambiente con el que él se topó en su trabajo de funcionario carecía de alma. No le producía ningún entusiasmo, interés o estímulo: los tres signos del amor o incluso de un posible amor. Si ves que estás en una situación similar, tienes varias opciones: esperar a que te salga algo mejor, encontrar un lugar de trabajo donde haya amor o llevar tu propio amor a él.

Sientes que tu alma está presente en tu trabajo cuando *tú* estás presente, cuando no lo realizas mecánicamente o sin ganas. Pero no puedes ponerle el alma si el trabajo no te lo permite o si te encuentras en un lugar donde el alma no pueda manifestarse. El trabajo adecuado y la actitud adecuada van de la mano, si uno de estos elementos falla no podrás poner el alma en tu trabajo ni infundirle vitalidad. La intimidad es otro signo del alma. Hoy día hacemos muchas cosas con frialdad. Trabajamos en una fábrica realizando una determinada tarea y nunca vemos el resultado de nuestro trabajo. Un trabajo en una cadena de montaje puede impedirnos ponerle el alma porque es una tarea repetitiva que no tiene sentido en cuanto al resultado. No sólo necesitas ver los objetos que has ayudado a crear, sino que además debes amarlos.

Estos comentarios sobre el amor quizá parezcan estar totalmente fuera de lugar en el mundo laboral actual. El amor parece más un lujo que una necesidad, porque solemos pensar en términos puramente pragmáticos. Nos interesan hasta tal punto los beneficios, la eficacia y la productividad, que nos olvidamos de cuestiones humanas importantes. Sin embargo, sea cual sea nuestra profesión, tanto si es importante como si no lo es, debemos realizarla con la experiencia humana básica de amarla y sentirnos profundamente conectados a ella.

Si lo hacemos sin ponerle el alma, nos hará sufrir. Quizás hagas un gran esfuerzo, dediques un tiempo valioso a tu trabajo e intentes, al menos de una forma subliminal, que te aporte una gratificación, pero carecerá de alma. La mayoría de la gente no sabe definir la sensación de que les falta algo porque les parece muy misteriosa e intangible. C. G. Jung dijo que la pérdida del alma es un «estado patológico y la causa de neurosis».[1] Fernando Pessoa, el poeta portugués, escribió un poema titulado «Hay un mal peor que la enfermedad» en el que describe con imágenes intensas las sensaciones que produce la pérdida del alma:

Mi alma se deshizo como una jarra vacía.
Rodó contundentemente por las escaleras.
Se le escurrió de las manos a una sirvienta negligente.
Cayó. Se partió en más añicos que si hubiera sido de
porcelana.

Si no haces tu trabajo poniéndole el alma, te parecerá vacío. Tendrás que obligarte a hacerlo y te distraerás a la menor oportunidad para evadirte de él. Estarás pensando en los muchos otros trabajos posibles, físicamente estarás presente, pero mental y emocionalmente te encontrarás en otra parte. Al sentirte frustrado te enojarás con tu jefe, con los compañeros y con el propio trabajo.

Tu alma también te permite ser alguien único. Si careces de alma pensarás como la mayoría de la gente y perseguirás las recompensas que todo el mundo da por sentado que son deseables. Pensarás como la cultura, la región, la familia o la religión en la que creciste y no te darás cuenta de la influencia que estos grupos ejercen sobre ti. En parte encontrar tu alma es desprenderte del hábito de pensar como los demás y seguir tu propio camino. Quizá sufras al separarte de todas estas personas que te hacían sentir que pertenecías a un grupo y que tenías una meta en la vida, pero tu alma está en juego.

Hace unos años el FBI me pidió que diera unas charlas a un grupo de consejeros espirituales que ofrecían terapias a los agentes que trabajaban en él. Hice el esfuerzo de volar desde New Hampshire a Seattle para encontrarme con ellos porque comprendí lo importante que era su trabajo.

Los consejeros espirituales que participaban en el programa del FBI eran de distintas edades y religiones. Me parecieron unas personas afectuosas, de mentalidad abierta y deseosas de recibir ideas que pudieran ayudarles. También me impresionó su sentido del humor y su simpatía. Trabajaban en las trincheras con los agentes que luchaban contra la corrupción y la peor clase de delincuencia.

Uno de los temas de los que hablamos fue el papel de la diversidad religiosa en una época en que las distintas fes están topando unas con otras en un planeta que cada día se está volviendo más pequeño. Las ideas tradicionales sobre la religión y la espiritualidad están cambiando de una manera rápida y radical. Hacia el final de la conversación uno de los asistentes se levantó y nos contó su emotiva experiencia de tener que separarse de las ideas religiosas de su comunidad.

Había sido el pastor conservador de una congregación cristiana tradicional y durante muchos años predicó el fundamentalismo. Era el líder perfecto para una congregación que quería seguir manteniendo sus ideas conservadoras. Pero ahora había cambiado profundamente a causa de las sesiones del FBI a las que había estado asistiendo. Nos lo contó de una forma tan emotiva y sincera, que se podía sentir cómo se ganaba el corazón de todos los presentes. Había crecido de unas formas que la comunidad de su iglesia no podría entender ni aceptar nunca. Había pasado unas horas intensas manteniendo conversaciones profundas con otros consejeros espirituales que, a pesar de tener creencias muy distintas a las suyas, le habían impresionado profundamente por su sinceridad y sus convicciones. Había asistido a muchas charlas de líderes espirituales altamente cualificados que aceptaban con actitud admirable las diversas creencias de las otras religiones. A lo largo de los años estas conversaciones y charlas inspiradoras habían acabado penetrando en él, y su mente y su corazón se habían abierto.

Personalmente se sentía feliz y agradecido por el cambio que había experimentado —por su nueva actitud abierta y la comprensión más sutil que ahora tenía de su fe—, pero nos confesó que con esta nueva visión le resultaba muy difícil ser él mismo en su comunidad, ya que si expresaba sus ideas más liberales y tomaba la dirección que deseaba seguir, temía perder a los amigos de toda la vida y las relaciones que mantenía con su iglesia. Incluso su mujer, añadió, no entendería que sus antiguas convicciones sobre la fe, la moralidad y la identidad religiosa hubieran cambiado. Su actitud abierta delataría que ya no era la misma persona de antes y ahora no encajaría en su antigua comunidad.

Al regresar a su hogar iba a tener que enfrentarse a la lucha emocional de haberse alejado de su estado anterior de desconocimiento y del de su comunidad. No los estaba juzgando, sólo intentaba buscar una forma de conservar su antigua vida mientras su pensamiento le llevaba hacia nuevas direcciones.

En la alquimia, una de las primeras evoluciones importantes en el *opus* es un proceso llamado *separatio*. El alquimista vierte una cantidad importante de una sustancia en un recipiente y observa atentamente cómo los elementos se separan. Es una etapa crucial, ya que en el *opus* sólo se progresa si la separación tiene lugar eficazmente.

Creo que el pastor de Seattle estaba inmerso en el proceso de *separatio*, ya que estaba separando su forma de pensar y sus valores del hermético paquete de pensamientos y valores de la comunidad en la que había vivido toda su vida. Había mucho en juego. Por la forma en que nos lo describió parecía verse obligado a elegir entre su nuevo yo en desarrollo o la gente que formaba parte de su mundo.

Su historia es un buen ejemplo del sacrificio que exige ser una persona con un alma. Requiere un trabajo interior que puede pedir de pronto esfuerzos heroicos. Tanto los hombres como las mujeres a veces atravesamos la dolorosa etapa de tener que seleccionar nuestras creencias y valores mientras descubrimos un mundo más profundo y mejor. Y entonces tenemos que enfrentarnos con las personas que nos rodean que aún no han experimentado este cambio de visión.

Cuando hablo de poner el alma en el trabajo es para que descubras la alegría que produce. No estoy hablando de algo sencillo y fácil de hacer. Es posible que salir arrastrándote de la agradable ignorancia del seno materno donde has estado metido durante tantos años para nacer a la vida como un individuo estable y lúcido sea lo más difícil de todo.

En este sentido la gente suele creer que las conversaciones sobre el alma son conservadoras y poco estimulantes, pero yo pienso que es un cambio radical vivir audazmente con el corazón y crear una sociedad distinta y mejor. Si despiertas tu alma quizá tengas que separarte de la gran masa y atreverte a ser único.

El alma es lo más hondo de ti, como la tierra fértil alimentando una flor. Siempre está ahí y siempre lo ha estado. Tu vida surge y florece de ella. La vislumbras en tus emociones más profundas y en tus pensamientos más arraigados. Está oculta en tu pasado y la entrevés en tu vida actual. A medida que se revela te das cuenta de hasta qué punto eres un ser único, incluso excéntrico y a veces desconcertante.

EL ESPÍRITU ELEVADOR

El espíritu, que es muy diferente del alma, también debe estar en armonía con el trabajo que escojas hacer en tu vida. El espíritu pertenece a la región superior de la experiencia e incluye la visión que tienes del mundo, los valores éticos, las ideas sobre la vida y la muerte, las creencias y la comprensión religiosa y el desarrollo intelectual. Es crecimiento, aventura, experimentación, progreso y descubrimientos.

Al usar la palabra *espíritu* en este contexto, no me estoy refiriendo sólo a la «espiritualidad» en el sentido moderno, sino al espíritu como una parte de quién eres y de cómo vives, en un sentido más amplio. El espíritu, al contrario del alma que está profundamente arraigada, se encuentra en las alturas, en la estratosfera de tus pensamientos. Si tienes una filosofía de la vida y una escala de valores, una apasionada visión y unas elevadas ambiciones, son en gran parte las expresiones de tu espíritu.

Es evidente que una iglesia o un templo es un lugar del espíritu, pero un colegio, una universidad o la sede de una compañía también lo son. Un club de lectura probablemente tenga mucho espíritu, ya que la gente se dedica a leer en él obras de distintos autores y a intercambiar ideas. Y también un alma, por su cualidad íntima y cotidiana. Las universidades tienden a alardear de espíritu. Son muy protectoras de sus campus, zonas que proclaman ser distintas de lo mundano y lo corriente. Están relacionadas con una educación más «elevada» y mucha gente las ven como torres de marfil, una buena imagen del movimiento hacia el cielo del espíritu.

Los campanarios de las iglesias, los rascacielos, las pagodas e incluso las «torres» de los hoteles son la personificación simbólica de una poderosa imaginación llena de vida. En la ambición, el pensamiento innovador, el futurismo, la velocidad y el progreso hay espíritu. En cambio, el alma aprecia lo antiguo, el pasado, los recuerdos y la tranquilidad.

El alma y el espíritu son dos dinámicas moviéndose hacia distintas direcciones: una recurre al pasado para inspirarse, el otro avanza imparable hacia el futuro. El alma se alimenta de recuerdos y antiguos afectos, en cambio el espíritu desea seguir avanzando.

Al hablar como representante del alma quizá dé, sin querer, la impresión de que ésta es mejor. Pero no es así. El espíritu y el alma son ambos esenciales y es al vincularse estrechamente o al coincidir con tanta exactitud que resulta difícil diferenciarlos cuando se encuentran en su mejor punto. Se influyen mutuamente: tu inspiradora imagen de un mundo mejor quizá se base en los humildes valores que aprendiste de tu familia. Y tu ambición de dedicarte a una profesión más significativa puede que venga del comentario pasajero de un familiar o de un maestro de la infancia.

Los problemas con el trabajo pueden tener que ver con heridas en el espíritu y también en el alma. Es posible que hayas tenido unas fuertes convicciones y expectativas sobre quién y qué querías ser en la vida y que tu trabajo actual esté tan alejado de ellas, que temes no poder alcanzar nunca tus sueños. Sientes como si tu espíritu estuviera inhibido o roto.

Puede que tu lugar de trabajo vaya en contra de los valores éticos que consideras importantes. Pongamos, por ejemplo, que te gustaría trabajar para una compañía que fuera sensible a los valores de la comunidad, pero te ves obligado a seguir con tu trabajo actual por necesidades económicas. Quizá te has sentido atraído por una cultura del éxito en una compañía y estás convencido de que es importante alcanzar un salario y un cargo cada vez más alto. En este caso tu espiritualidad se ha sometido al escalafón de la empresa y puede que te sientas controlado por él.

Tal vez tienes una visión más amplia de la vida y del lugar que ocupas en ella, pero estás haciendo un trabajo de tan poco alcance y tan insignificante, que no puedes aplicar tus elevados ideales. Puede que quieras cambiar el mundo para mejor, pero el trabajo que realizas no tiene nada que ver con tus grandes ambiciones. Quizás estás lleno de ideas creativas pero tu compañía quiere que sigas las reglas sin causar problemas.

Tu espíritu puede sentirse coartado y abatido por la carga de las fuerzas que te dan el dinero para vivir pero ninguna oportunidad para que tus ambiciones e ideales progresen. Este abatimiento del espíritu es otra clase de depresión muy común relacionada con el trabajo.

Supongo que ya sabes que la fama internacional de Sting como artista no surgió de la nada. Mientras estaba sentado en las oficinas del gobierno rellenando formularios estúpidos, «Sting» se encontraba dentro de él esperando salir al exterior. Al leer sus reflexiones sobre sus experiencias durante ese periodo, uno nota la frustración que sentía y el vivo deseo que tenía de ser él mismo. Su espíritu estaba listo para salir al exterior, como el alado corcel Pegaso saltando de la cabeza de Medusa, la temible gorgona que convertía a todos los que la contemplaban en piedra.

El aspecto de Medusa de la vida moderna, su tendencia a paralizarnos cuando nuestro espíritu ansía ser libre y eficaz, puede dominarnos. Nos frustra al reprimir a nuestro espíritu que necesita expresarse. Nuestro espíritu anhela desempeñar un papel público. Manifestar al menos de alguna forma quiénes somos. Quizás este intenso deseo está relacionado con el culto que rendimos al éxito: nos quedamos atrapados en un complejo emocional, viendo nuestras propias posibilidades en las importantes vidas de los demás.

Cuando el espíritu se reprime en la vida cotidiana, puede volver a aparecer de forma agresiva. Muchas personas están furiosas porque el mundo les ha roto o encarcelado el espíritu. Se vuelven agresivas a veces sin consecuencias graves que lamentar y otras generando formas trágicas de violencia. Mi amigo Scottie parece siempre una persona muy pacífica, buena y cortés. Pero cuando habla advierto que a menudo cuenta unas historias graciosas que expresan en el fondo ira hacia su familia o su lugar de trabajo actual. Hay que escucharlo atentamente para apreciar la intensidad de su ira, porque está muy oculta y envuelta en un maravilloso humor. A veces me da miedo.

Sé que Scottie es un visionario. Tiene muchas ideas sobre cambiar el mundo y ayudar a los demás, pero es evidente que no ha podido poner estos intensos sentimientos en acción. Creo que le iría muy bien encontrar un contexto adecuado para sus pasiones, ya que en el estado en que está ahora, sus ideales se transforman en cinismo, y si sigue por ese camino acabará lleno de frustración e incluso desperdiciando quizá su vida.

El espíritu es fuerte y centrado, pero puede sucumbir a la presión del pragmatismo. Si lo sacrificas por propósitos materialistas puede manifestarse disfrazado de síntomas que quizá nunca hubieras esperado: sintiendo ira hacia tus hijos, no ocupándote de tu hogar (una ira pasivo-agresiva), mostrándote cínico, excediéndote en las críticas, quejándote y retirándote de la vida (una agresividad pasiva).

EL ALMA Y EL ESPÍRITU EN EL TRABAJO

Cuando el alma y el espíritu se unen creativamente, sigues unido a las circunstancias de tu vida —a la familia, al lugar donde vives, a la naturaleza, a las tradiciones— y además persigues tus ideales. Estas dos direcciones representan el alma y el espíritu. Aprecias los placeres sencillos y la profunda conexión que mantienes con los demás, incluso mientras exploras el mundo al perseguir tus sueños. Pero si te intimida el potencial de la vida y te escondes en el lugar donde creciste o en la familia, o si encierras a tu espíritu con alguna ideología o sistema de creencias, no tendrás un alma y un espíritu llenos de vitalidad para realizar tu vocación. Tanto el alma como el espíritu han de estar vivos, de lo contrario uno de ellos sufrirá a causa de las heridas del otro.

Mi mujer y yo fuimos a una tienda de una compañía telefónica para cambiar nuestros móviles. Nos atendió un empleado sumamente atento y competente, yo añadiría «incluso con alma». Sabía lo que se hacía y conectó con nosotros tanto con su corazón como con sus habilidades como vendedor. Sin duda deseaba suministrarnos el teléfono que necesitábamos y nos ofreció unos buenos consejos. Pero cada vez que nos hablaba de los teléfonos que estábamos comprando y los detalles del servicio que su compañía proporcionaba, el encargado metía cuchara para asegurarse de que recibiéramos la información necesaria. Estaba constantemente arrebatándole el pequeño grado de poder del que gozaba y rompiéndole con ello el espíritu. Fue muy triste y doloroso ver cómo le machacaba el espíritu de forma lenta y constante.

Muchas personas empiezan sus profesiones llenas de entusiasmo, interesándose por los clientes y por los proyectos que se han forjado, esperando alcanzar unos grandes logros. Pero al cabo de poco descubren que el mundo real les limita la imaginación y los sentimientos. El chef de un restaurante sencillo pero de calidad de una ciudad de Nueva Inglaterra, me contó que su jefe lo había amenazado con despedirlo si daba una servilleta extra de tela a un cliente, aunque éste la necesitara, porque el servicio de lavandería costaba demasiado dinero. El chef se sintió muy frustrado y una semana más tarde sufrió una seria quemadura con el fogón de la cocina y dejó el trabajo.

Nos sentimos motivados e incluso entusiasmados con nuestro trabajo si nuestra alma está libre para conectar con él y nuestro espíritu puede explorar su potencial a sus anchas. Pero cuando no somos tan afortunados, podemos sufrir en un sentido o en otro: por no ocuparnos del alma o por reprimir el espíritu.

ALIMENTANDO EL ALMA
Y EL ESPÍRITU EN EL TRABAJO

El alma se encuentra en la vida cotidiana: en el hogar, la familia y el vecindario. Se vuelve más profunda con los recuerdos, las emociones profundas, los vínculos, los afectos sinceros y la profunda sensación personal de tener un destino y una misión en la vida. Ocuparte de cualquiera de estas cosas hace que tu trabajo tenga alma.

Pero no siempre es fácil alimentar estos elementos del alma en una sociedad que se encamina hacia una dirección distinta. La familia, el vecindario y las tiendas pequeñas forman parte del pasado en muchas zonas al haber sido reemplazados por compañías y marcas nacionales y multinacionales. Las grandes empresas siguen engullendo a las pequeñas. La subcontratación sigue aumentando sin dar señales de que vaya a disminuir.

Cuesta mucho más sentirse conectado a una gran compañía que a un negocio familiar, por esto esta cualidad del alma también se está perdiendo mientras avanzamos hacia la globalización. Muchos trabajadores descubren que sus empresas apenas se parecen a lo que eran cuando empezaron a trabajar en ellas porque los cambios llevados a cabo por las grandes compañías suelen reducir la «personalidad» de la empresa y dan al trabajador menos indicios de la historia, la personalidad y la tradición, todas ellas cualidades del alma.

En muchas ocasiones es el mismo empleado el que ha de alimentar las cualidades del alma. Las fotografías familiares, las plantas y flores especiales, los adornitos y otros objetos en el lugar de trabajo que simbolizan el hogar, los recuerdos y los afectos se están volviendo más importantes que nunca.

La sensación de pertenecer a una empresa, de estar conectado con ella, de conocer su historia y de participar en el proyecto que la anima quizá les parezca secundarias a las personas que diseñan y dirigen el lugar de trabajo, pero estas cualidades del alma son esenciales para realizar una buena y gratificante labor. Tal vez parezca que son menos importantes que la productividad y la eficacia, sin embargo tienen mucho que ver con el éxito del trabajo. Los retrasos, el absentismo laboral y el trabajo mal hecho proceden a menudo de la falta de alma en el lugar de trabajo.

Estas cualidades son fundamentales al intentar descubrir el trabajo que estás destinado a hacer en la vida. Por definición una vocación es una inclinación profunda y emocional. Sólo te sentirás conectado a tu trabajo si te permite experimentar emociones y recuerdos profundos y sentir el amor que produce hacer algo significativo. Un trabajador puede haber encontrado su vocación al sentirse a gusto en una empresa y tenerle mucho cariño al producto que fabrica. Una vocación es tanto un logro emocional como concreto.

He mencionado los recuerdos porque el pasado es una parte muy importante de quiénes somos, una parte que los demás no ven. Conocemos nuestro pasado mejor que nadie en el mundo. Lo llevamos con nosotros y sentimos su influencia. No determina totalmente quiénes somos, pero es un factor importante en nuestra vida. Es una parte importante del yo invisible que nos acompaña mientras vamos a una entrevista de trabajo o nos dedicamos a nuestra profesión. El pasado, una mezcla de experiencias buenas y malas, es algo que debemos afrontar mientras avanzamos hacia el futuro.

El espíritu se mueve hacia distintas direcciones, pero también forma parte del misterioso logro que llamamos la labor de nuestra vida. El espíritu puede manifestarse como un elemento intelectual. Muchas personas disfrutan con su trabajo porque para ellas tiene sentido y les hace desplegar a fondo su conocimiento e inteligencia. A todos nos gustan los retos, la necesidad de encontrar soluciones y resolver problemas. Pero si trabajamos mecánicamente, no nos sentiremos realizados a través de nuestra profesión.

En una ocasión tuve una conversación con Paul, mi vecino, que está enseñando a los adolescentes del barrio a construir un coche impulsado por baterías. Está entusiasmado con el reto de crear un vehículo que funcione y alcance una cierta velocidad, y ha hecho que cada joven se dedique a resolver un problema relacionado con el proyecto. Espera que dejen de suponer que no saben nada de mecánica y que aprendan a resolver solos las tareas que les ha encargado para realizar todos juntos el proyecto. La actitud de Paul inspira a los jóvenes del barrio y hace que hagan su trabajo con espíritu y entusiasmo de manera natural.

Detrás de los conocimientos y la curiosidad intelectual de Paul hay el interés por promover un espíritu fraternal: por inspirar a los adolescentes y mantenerlos centrados en un proyecto comunitario. La labor de Paul es un ejemplo de una acción social, una cualidad espiritual fundamental en el trabajo. Se ve a la legua que este proyecto le llena y contribuye a su vocación, sobre todo en una época de la vida en la que podría haberse jubilado del todo y dedicarse sólo a cuidar de sí mismo.

El espíritu tiene siempre una cualidad de trascendencia, una forma de ir más allá del statu quo. Tanto si decides fomentar la cultura, hacer progresos científicos, ayudar a los niños a avanzar hacia el futuro o crear una sociedad más ética y justa, todo esto son cualidades del espíritu en la medida en que apliquen una visión y un sentido desarrollado de los valores éticos.

Cuando no nos ocupamos de los aspectos espirituales del trabajo, éste se vuelve demasiado local, demasiado pendiente de una necesidad personal y nos hace la vida demasiado cómoda. Nos estanca y sólo resulta práctico. No nos lleva hacia un futuro mejor ni conlleva una buena visión de futuro para la vida. En cambio el trabajo de mi vecino Paul tiene unas fuertes cualidades tanto del alma como del espíritu: es local y nacional, propio de un aficionado y de un profesional al mismo tiempo, involucra sólo a algunos adolescentes del barrio y, sin embargo, es todo un ejemplo para una nación que necesita inspiración.

El mundo natural también tiene un aspecto espiritual, ya que nos ofrece sus profundos misterios para que los contemplemos y nos maravillemos con su inmensidad y su fuerza. Algunos trabajos nos llenan el espíritu simplemente por la estrecha relación que mantienen con la naturaleza, como trabajar en un parque nacional, limpiar un río o un lago o pronosticar el tiempo. Y otros trabajos hacen suyo parte del espíritu de la naturaleza. Una compañía puede, por ejemplo, hacer que el mundo natural forme parte de la fábrica o de las oficinas centrales de la empresa. En una ocasión di una conferencia en una sala del Juzgado de la ciudad de Limerick, en Irlanda. El edificio está ubicado frente al río Shannon y la sala donde estábamos tenía una gran ventana que daba al río, permitiendo que los que estaban en ella pudieran contemplar directamente una importante vista natural de la ciudad. El arquitecto que diseñó la sala había tenido en cuenta las necesidades espirituales de los ciudadanos de una forma sencilla y concreta.

Cualquier espacio de trabajo puede volverse un lugar más espiritual a través de la arquitectura: algunos edificios son más trascendentes que otros. Una empresa también podría incluir un espacio de tiempo para meditar, orar y colaborar en servicios sociales, una habitación vacía para que los empleados pudieran retirarse a solas en ella, un armario para recoger ropa usada y distribuirla más tarde, o pinturas o estatuas que representan las distintas tradiciones espirituales del mundo.

Estas cualidades espirituales del lugar de trabajo están en armonía con la psicología del que intenta descubrir la labor que está destinado a hacer en la vida. Necesitas meditar en tu empeño. Puedes retirarte en la naturaleza para inspirarte. Aprender de las obras espirituales del mundo. Rodearte de obras de arte de calidad llenas de sabiduría. Colaborar como voluntario en alguna oenegé para poder encontrarte a ti mismo en el mundo que te rodea.

El alma y el espíritu actúan como hermanos o como amantes para vigorizar e inspirar la búsqueda de tu vocación.

Juntos te ofrecen profundidad y trascendencia, recuerdos y esperanzas, intimidad y universalidad. Hacen que todo tu ser participe en el proceso de encontrar a lo largo de la vida un trabajo que te llene y que le dé sentido a tu existencia. Estas dos dimensiones hacen que la experiencia del trabajo sea completa y al final le dan las grandes dimensiones que necesita para llenarte como una persona que vive con una familia y en una comunidad y que participa en el mundo. El espíritu avanza hacia el futuro, el alma en cambio te mantiene unido al pasado. Ambos son recursos ricos y en las páginas siguientes descubrirás cómo estos dos factores, el profundo y el trascendente, le dan una dimensión a tu búsqueda de la labor que estás destinado a hacer en el mundo. Después de todo no estás buscando sólo un trabajo, sino una actividad que le dé sentido a tu vida.

4

La reconciliación con el pasado

Leonardo aconsejaba a los aspirantes a artistas
que descubrieran las imágenes que se encontraban
en las grietas de las paredes. A los sabios chinos los
concebían sus madres al pisar las huellas de unicornios.
Todos construimos nuestra vida con las grietas
de las paredes de nuestros recuerdos del pasado
y con las huellas del unicornio de nuestro futuro.

LYNDA SEXSON

Para seguir con la alquimia de nuestra vocación podemos contemplar el recipiente que contiene la materia prima de nuestra vida. En él encontramos recuerdos dolorosos: personas que se interpusieron en nuestro camino, experimentos fallidos, esperanzas y promesas que no funcionaron, pérdidas y fracasos, rechazos y carreras truncadas.

Todo este material «malo» del pasado es como el abono orgánico. Debemos recogerlo y apilarlo en un lugar para que se convierta en la materia oscura que permitirá que la alquimia tenga lugar. Jung dijo que si no tenemos una pila de elementos podridos con la que trabajar, debemos ir a buscar algunos. La mayoría de las personas no tenemos que ir demasiado lejos para encontrarlos. Somos muy conscientes de los dolorosos y oscuros momentos que hay en la historia de nuestra vida laboral y nuestro problema consiste más bien en no querer desenterrarlos y contemplarlos una vez más en lugar de tener un recipiente vacío.

Los alquimistas se referían a esta etapa de la Obra como *nigredo*, el ennegrecimiento. En el laboratorio, el prolongado e intenso calor ha dado a la materia del crisol un aspecto oscuro y quizás incluso calcinado. Metafóricamente hablando, el material de nuestra vida, sometido ahora al calor de consideraciones ansiosas, recuerdos y análisis, nos muestra su negrura y sus sombras, su amargura y su tristeza.

Es el momento de observar cómo todos esos viejos recuerdos adquieren diversas tonalidades oscuras mientras sentimos las amargas emociones que nos produjeron y recordamos sus desalentadoras influencias. Como puedes imaginarte, la alquimia era una tarea que a veces despedía malos olores, y a medida que sigas con la alquimia de tu vida, olerás el hedor de los malos recuerdos.

Pero toda esta molesta labor es adecuada y provechosa. Recordar las historias infelices, los recuerdos que preferirías olvidar y las personas que no te han ayudado demasiado en la vida es algo muy valioso, ya que tus malas experiencias forman parte de ti tanto como las buenas, y para poder estar plenamente presente en tu trabajo actual, debes incluirlas. Sólo es una etapa, más tarde ya te concentrarás en cosas más luminosas. Pero no puedes omitir el *nigredo*. Si rechazas el material oscuro, la alquimia no podrá nunca tener lugar.

LOS FRACASOS

Los recuerdos de la infancia y la familia yacen en las profundidades de nuestra psique y los fracasos del pasado también desempeñan un importante papel en la revelación de la labor que estás destinado a hacer en la vida. Con el paso del tiempo vas creando una historia que se convierte en la historia de tu vida, una sarta de trabajos y cargos que crean tu identidad. Para la mayoría de nosotros esta historia está llena de tropiezos, oportunidades perdidas y abrumadores fracasos.

Algunas personas son capaces de olvidarse de los errores y perseverar en su carrera profesional con un cierto optimismo, en cambio muchas otras se identifican hasta tal punto con sus errores que se hacen una imagen negativa de sí mismas y esperan fracasar en todo. En la cabeza de mi amigo Scottie no parece haber ni una pizca de optimismo. Se ha identificado con el fracaso y las rachas de esperanza que siente al empezar un nuevo trabajo se han convertido en parte de su historia de fracasos.

Para algunos el impacto del fracaso está relacionado con padres que les prohibieron duramente fracasar. Quizá creas que los padres deben entender que es importante apoyar a los hijos y guiarlos a través de las dificultades y los fracasos, pero en las sesiones de terapia no hago más que oír historias de padres exigentes, histéricos o agobiantes. Algunas personas al recordar las estridentes advertencias de sus padres, no pueden imaginar arriesgarse en el trabajo y quizás exponerse al fracaso.

El inevitable riesgo al fracaso puede acecharte en cualquier esquina. Puedes tener éxito en tu trabajo y ser conocido por tu competencia y brillante pasado, y de pronto, al fracasar, los que te rodean intentar convencerte para que no te arriesgues más. Y los que triunfan pueden llegar a un punto en el que el miedo al fracaso les coarta y hace que se queden estancados en su nivel actual.

La historia de mi propia vida contiene una clase especial de fracaso. Cuando vivía en una orden religiosa y me formaba para el sacerdocio, estudiaba teología en el monasterio, pero también estudiaba composición musical en una universidad porque esta materia me apasionaba. Sólo dedicaba varias horas al día a mis estudios musicales y eran secundarios con relación a la teología.

Durante un par de años este sistema me funcionó muy bien, pero entonces conocí a un profesor que se ofreció para darme clases particulares de composición musical. Era una persona brillante, culta e increíblemente talentosa, uno de los pocos genios que he conocido en mi vida y sus conocimientos iban más allá de la música. Como compositor era brillante, pero los idiomas también se le daban muy bien.

Al principio me enseñó los fundamentos para crear piezas musicales coherentes. Juntos analizamos composiciones antiguas y escuchamos los estilos más modernos. Al cabo de poco me pidió que compusiera piezas para piano, voz o combinadas. A mí me costaba hacer todo lo que me pedía, ya que también estaba estudiando teología, algunas de sus asignaturas incluso se daban en latín. Ahora entiendo que el poco tiempo libre que me quedaba me impedía destacar en la música. Pero también me sentía intimidado por el talento de mi profesor. Podía rendir tanto musicalmente sin esforzarse en lo más mínimo, que empecé a creer que como yo no tenía tanto talento como él, si seguía mi meta de hacer la carrera musical siempre sería un compositor de segunda categoría. Al final, después de sacarme dos carreras universitarias y de dedicarme a estudiar durante muchos años, acabé dejando la música. Varios años más tarde me pregunté si había sido una buena idea abandonarla. Sé que podía haber hecho un buen trabajo en los colegios enseñando música, dirigiendo y componiendo. En la actualidad me encanta tocar el piano a diario y componer piezas musicales para la universidad y algunos coros profesionales, pero me sigo preguntando si habría destacado en la carrera musical. No me arrepiento demasiado de haberla dejado, pero me produce una cierta tensión en mi vida como escritor, aunque sienta que estoy hecho para esta profesión.

Creo que la tensión que me produce haber dejado la carrera musical es positiva, porque me mantiene alerta, hace que me cuestione a mí mismo de forma constructiva, aunque estos sentimientos no sean agradables. Siempre que leo la historia de alguien que ha logrado hacer varias carreras a la vez, pienso que a mí también me habría gustado hacerlo. Pero entonces me sitúo de nuevo en el recipiente de mi vocación. A veces quiero salir de él, pero es quien yo soy. La tensión que me produce esta situación me mantiene vivo, y al recordar que estoy haciendo el trabajo que me gusta al escribir, mi corazón se tranquiliza.

EL IMPLACABLE LASTRE DEL PASADO

Aunque tengas éxito en tu trabajo, si has tenido una historia especialmente difícil, sentirás sus efectos a lo largo de tu vida. No estoy diciendo que no puedas ser feliz o progresar por la carga del pasado, pero es posible que nunca te liberes por completo de ella. Tal vez siempre te agobie y obsesione.

Al hablar de tu vocación, no me estoy imaginando el trabajo perfecto. Quizás encuentres un trabajo que colme tus deseos, pero aun así puedes seguir sintiendo los efectos de una infancia difícil, de los abusos y del fracaso. Oprah Winfrey, una mujer muy serena que ha alcanzado un éxito increíble en su carrera profesional, confiesa que aún sigue sufriendo los efectos de los abusos sexuales y la pobreza de su infancia. Aunque es evidente que haber transformado su sufrimiento en fuerza interior le ha permitido tener valores éticos en medio de la riqueza y la fama y usar sus recursos con generosidad e imaginación.

Steven, un amigo mío, creció en un duro barrio del sur de Boston en el seno de una familia trabajadora aunque en muchos sentidos disfuncional. Toda la vida ha estado trabajando duramente en la empresa familiar limpiando bancos, oficinas y restaurantes cuando los locales están cerrados al público.

Le conocí cuando yo enseñaba arte como terapia. Steven destacaba entre los otros alumnos por su inteligencia, sentido del humor y talento. Era bailarín, actor y director. Al final tuvo que dejar las clases para sacarse el doctorado. También le interesaba la psicología, la filosofía, el teatro y otros temas. Mientras escribía su tesis vivió con mi familia durante un año y medio. El día que tuvo que volver a su casa para ayudar a su hermano a llevar el negocio familiar fue muy triste para todos nosotros.

Yo fui uno de los miembros del comité encargado de evaluar la tesis de Steven y me asombró la profunda inteligencia y visión de su trabajo. Sigue dirigiendo obras de teatro, enseñando arte dramático a los jóvenes y aplicando sus numerosas ideas sobre la cultura mientras mantiene el teatro con vida en un pueblo costero.

Ignoro si Steven ha descubierto cuál es su vocación, pero estoy seguro de que va camino de hacerlo. Y, sin embargo, parece cargar con su experiencia del barrio de Boston donde creció en cualquier actividad que haga. Aunque de vez en cuando tenga lagunas por el lastre de su pasado, es el que más cosas ha hecho para fomentar la cultura en su comunidad. Para mí es el ejemplo de una persona que no intenta superar por completo su pasado y que, sin embargo, se forja su vocación de una forma productiva, influyente y sumamente inteligente. Encarna la idea de James Hillman de alguien animado por el fuego de la vocación que se dirige con paso firme hacia su destino, sin importarle las presiones familiares ni los problemas. Las oscuras influencias de su pasado siguen estando ahí, pero no apagan la llama de su creativa inteligencia.

Mi familia y yo le dijimos: «¡Deja de limpiar retretes! Consigue un trabajo que esté bien pagado. Ahora que tienes un doctorado, puedes trabajar como profesor». Pero todos estos consejos bienintencionados están fuera de lugar. Steven sabe quién es y lo que debe hacer en la vida. De algún modo, su necesidad de ayudar a llevar el negocio familiar forma parte de su vocación, al menos hasta el momento. Sigue los dictados de su corazón y sin duda sabe mejor que todos nosotros lo que le llena en la vida.

La labor que estás destinado a hacer en la vida es una colcha multicolor que vas confeccionando poco a poco y no una simple pieza monocromática hecha en serie de un solo tamaño a la que simplemente te adaptas. Puede que tenga espacios vacíos, agujeros y partes incompletas. Incluso puede parecerte que no es el trabajo que estás destinado a hacer, sobre todo cuando te encuentras sólo a medio camino de él. Pero llegará un día en que, al mirar atrás, cada una de las partes de la colcha adquirirá sentido para ti y vislumbrarás cuál es tu vocación, pero incluso entonces posiblemente esté llena de agujeros hechos por las luchas de una larga historia. No tienes por qué buscar la perfección, ya que las oscuras sombras del pasado pueden teñir siempre lo que estás haciendo. No esperes poder resolver un día los problemas familiares, los de la infancia y los altibajos de la vida. Tu vocación es más bien una sensación que un hecho, el descubrimiento de que el trabajo que estás haciendo en la vida es significativo y no que por fin se ha vuelto completo y perfecto.

LAS VENTAJAS DE LAS INFLUENCIAS NEGATIVAS

Cuando observas las historias de la vida de las personas que triunfan, adviertes que en el pasado de muchas de ellas hubo elementos negativos. No surgieron de padres y de entornos sociales bienintencionados, sabios y con visión de futuro. Ni tampoco superaron siempre su pasado, a pesar de luchar contra las influencias negativas y triunfar aunque sus familiares se entrometieran en su vida. A veces lo que parece una influencia negativa es en realidad una influencia positiva que te impulsa a progresar.

El doctor Jonas Salk, el famoso investigador que creó la vacuna de la polio, un hallazgo científico capaz de salvar vidas, procedía de una familia de emigrantes rusos sin demasiada cultura. De joven Salk sabía que quería hacer algo para ayudar a la humanidad y consideró seriamente ser abogado y luego político. Pero su madre no confiaba en esta elección. «Mi madre no creía que pudiera ser un buen abogado porque yo nunca la ganaba cuando discutíamos», dijo reflexionando sobre el giro de los acontecimientos que lo llevaron a estudiar medicina.

Salk no vio a su madre como un obstáculo, al contrario, ella por lo general lo estimulaba a progresar. Quizá te preguntes cómo un hombre tan inteligente y reflexivo como él pudo tomar una decisión basándose en que si su madre pensaba que él siempre perdía al discutir con ella, no podría ganar ningún juicio. Pero a veces los comentarios negativos nos ayudan a tomar una decisión positiva. Quizás ella conocía muy bien a su hijo y en su observación sobre su poca habilidad para argumentar con ella intuía que le esperaba otro futuro.

Los padres pueden impulsar a sus hijos a seguir su vocación tanto de forma negativa como positiva. Un niño puede asimilar los comentarios que oye, tanto si le apoyan como si constituyen un reto para él. A la larga es mejor que los padres digan lo que piensan, mientras no critiquen a sus hijos por una razón neurótica, y les dejen labrarse su propia vida. Jonas Salk dijo que mientras crecía tenía dos principios en mente: alimentar la sensación de maravilla que le producía el mundo y ayudar a la humanidad. Estas ideas espirituales le motivaron a seguir avanzando mientras elegía el camino que quería seguir en la vida. Pudo asimilar las ideas de su madre a la luz de estos principios.

El trompetista Wynton Marsalis, galardonado con un Premio Pulitzer, creció en las calles de Nueva Orleans. Su madre era «muy lista», dice él, y le hizo aprender a leer de niño. Su padre, músico de profesión, le regaló una trompeta a los seis años, pero al principio no le atrajo y sólo empezó a tocarla al cumplir los doce. También trataba a sus hijos como si fueran adultos. «Mi padre siempre nos hablaba como si fuéramos mayores en el contexto de sus conversaciones. La mitad del tiempo no sabíamos de lo que estaba hablando. Pero le respondíamos: "Sí, sí, de acuerdo". Por ejemplo, si le pedíamos a papá algo básico, como:

"Papá, ¿me puedes dar un dólar?" nos soltaba una larga disertación.»[1]

Los hijos pueden preguntarse por qué sus padres se dirigen a ellos como si fueran adultos y no en un lenguaje infantil, pero al final quizá descubran que la visión de sus padres ha merecido la pena. Wynton Marsalis nos describe una infancia en un entorno de una cierta delincuencia y con un lento desarrollo personal. Al final acabó convirtiéndose en un músico inteligente y en un hombre muy culto, en una gran influencia para los otros jóvenes que intentaban abrirse camino en medio de un mundo confuso.

En la adultez Wynton Marsalis comprende que aunque la música que tocaba su padre no era la que él quería interpretar, le enseñó a ser un buen artista y a desarrollar el carácter necesario para practicar y superar las adversidades.

Lo que tú hagas con tu pasado es más importante que lo que él te amenace hacer contigo. Debes ver lo que hay de valioso en él, configurarlo según tus esperanzas y principios y no dejarte agobiar por sus elementos negativos. El pasado, sea bueno o malo, es un elemento muy enriquecedor cuando intentas descubrir cuál es tu vocación en la vida. Quizá pienses que debes concentrarte en el futuro para descubrir tu profesión, porque en él hay más material, pero la *materia prima* alquímica se encuentra en tu infancia y en tu familia.

LO QUE NO DEBES HACER CON EL PASADO

Tu pasado es quien eres. Es tu particular destino. Quizá habrías querido que hubiera sido distinto, pero es el que es. Es tu punto de partida y el lugar al que siempre regresas en tus recuerdos. Lo llevas contigo.

Para la mayoría de la gente el pasado es una mezcla de bendiciones y problemas. Recuerdo que en una ocasión mi buena y generosa abuela me dijo que si hubiera sabido que tendría que sacar adelante a su familia en la época de la depresión, preferiría no haber nacido. Como el pasado puede ser una pesada carga y afectar tus actitudes actuales, quizá sientas la tentación de afrontarlo sin ningún miramiento. Algunas personas lo hacen con una actitud heroica. Deciden superar el pasado y triunfar a pesar de él. Ponen toda su energía en no ser algo en lugar de intentar ser alguien único. El cantante Johnny Cash expresó en una ocasión su filosofía sobre el pasado: «Aprendo de mis fracasos. Los utilizo como pasaderas. Le cierro la puerta al pasado. No intento olvidar mis errores, pero no me obsesiono con ellos. No dejo que me quiten la energía, el tiempo ni el espacio. Si analizas tus errores mientras avanzas, nunca tropezarás con la misma piedra dos veces». Afirma que le cierra la puerta al pasado, pero añade que también hay que analizarlo para no caer en los mismos errores. O sea que en realidad está diciendo que no le cierra la puerta.[2]

Algunas personas echan la culpa a otras por no haber conseguido trabajar en lo que deseaban. Quizá culpen a sus padres por no apoyarles, a un maestro por no entenderles o a un amigo por no haberles dado un buen consejo. Yo solía echarle la culpa a mi profesor de composición musical por no haberme preparado lo suficiente como para poder triunfar, pero tuve suerte de tenerlo como profesor durante varios años. Fui yo el que decidí dejar la carrera musical.

Culpar a los demás es un mecanismo de defensa. Nos ayuda a no enfrentarnos con nosotros mismos y con las decisiones que tomamos. Es distinto del autoanálisis, en el que analizamos las razones por las que progresamos o no. Una cosa es contar la historia de que tu padre no apreciaba tu mundo ni los deseos que tenías, y otra muy distinta analizar su pasado y acabar comprendiendo las diferencias existentes entre vosotros dos.

Tu pasado no es un problema que debas resolver, sino el misterio que te envuelve, la complicada historia de quién eres y de cómo has llegado a este punto de tu vida. Aunque analices tu historia personal, analizarla es distinto de resolver un problema. Al analizar el camino que has seguido quizás adquieras una cierta visión de él, pero nunca entenderás del todo tu vida. El análisis es interminable, no se acaba nunca, en cambio un problema se resuelve y punto.

Muchas personas se ven a sí mismas y a su vida como un problema. Siempre están buscando la clave que lo explique todo y que haga que por fin su vida sea mejor. En las sesiones de terapia he conocido a mucha gente que busca la solución definitiva para su vida. Y si lo único que consiguen en ellas es comprensión del problema, recurren a otro terapeuta esperando que les dé la panacea para su vida.

En una ocasión una mujer vino a verme para que la ayudara a tomar una dirección en la vida. «Quiero hacer algo con mi vida», me dijo. Después me contó que se había casado con el director ejecutivo de la compañía en la que trabajaba. Ella tenía dinero, amigos y bienes materiales, pero se sentía profundamente insatisfecha. Y sobre todo odiaba su matrimonio. No era feliz en él, pero no quería divorciarse. Y en especial no quería que sus amigas y su familia la vieran como una fracasada.

Le comenté lo insatisfecha que se sentía en su matrimonio y le sugerí que afrontar sus sentimientos y su vida sería un buen punto de partida. Pero ella quería una solución inmediata a sus males. Estuvimos hablando durante un rato, sintiendo el punto muerto en el que se encontraba su vida, y un día me anunció que iba a dejar su infeliz matrimonio. De pronto su vida empezó a abrirse. Hizo un nuevo círculo de amistades, descubrió que su familia se alegraba al saber que se había separado y al final encontró algo que la llenaba.

En el caso de esta mujer, reflexionar profundamente durante un tiempo sobre su matrimonio y su familia la llevó a la carrera profesional a la que quería dedicarse desde hacía mucho. Tuvo que reflexionar sobre su pasado, sin necesidad de superarlo, para poder verlo con más claridad. Mantener una nueva relación con las decisiones que había tomado en el pasado y con la idea que tenía de su familia le produjo una poderosa catarsis, lo vio todo con más claridad. Entonces pudo seguir adelante. No intentó cambiar su pasado ni superarlo, simplemente decidió comprenderlo con más profundidad.

El pasado es una carga sólo cuando es denso, compacto y está sin analizar. En ese caso repites las mismas historias, culpas a las mismas personas y sientes las mismas frustraciones de siempre. Pero si eres capaz de observarlo con más detenimiento y contar las historias de tu vida con nuevos detalles y una renovada visión, el pasado se aligera. Lo ves con una actitud más fresca y deja de ser un molesto nudo de emociones. Se vuelve menos pesado de llevar e incluso te apoya para emprender una nueva carrera profesional, mientras que antes sólo era un obstáculo.

Para contar las historias de tu vida no necesitas ser un genio de la interpretación, sólo tener una actitud abierta y dejar que surja cualquier percepción sobre ellas. Te aconsejo que busques a alguien que sepa escucharlas. A veces no es fácil encontrar a una persona que sepa escuchar a los demás. La mayoría de la gente se apresura a dar consejos o en lugar de ser objetiva se pone de tu parte con tus partidismos e interpretaciones. Cuando encuentres a una persona que sepa escucharte atentamente, cuéntale las historias de tu vida esperando que las comprenda de una nueva forma. En el siguiente capítulo encontrarás sugerencias para aprender a contar las historias de tu vida adecuadamente.

En la alquimia una de las percepciones más enriquecedoras es la idea de disponer de una «materia» con la que trabajar. No tienes por qué afrontar el futuro con las manos vacías, ya que puedes seleccionar los elementos positivos y negativos de tu pasado. Los alquimistas afirman que la *prima materia,* la materia prima de tu vida, puede contener una gran cantidad de material rechazado, poco prometedor e incluso desagradable. Pero de ella, y a pesar de la confusión, puedes crear una vida satisfactoria.

Ahora voy a tratar el otro aspecto de la materia prima: la tendencia a presentarse de una forma caótica e informe. A todos nos gustaría recibir un mensaje claro de lo que hemos de hacer en la vida, pero normalmente sólo nos encontramos con un caos que en el mejor de los casos sólo nos sugiere dónde girar. Una filosofía del caos puede ayudarnos al afrontar, una y otra vez, la confusión, y no el orden, que hay en nuestra vida.

5

El caos creativo

Confía en ti y verás cómo esa profunda convicción
hace vibrar el corazón humano. Acepta el lugar
que la divina providencia ha encontrado para ti,
la sociedad de tus contemporáneos,
la conexión de los acontecimientos.

RALPH WALDO EMERSON

El alquimista se sienta en su silencioso oratorio y ora y reflexiona durante el largo proceso de crear su obra y perseguir su difícil meta. Es paciente y observador, contempla detenidamente el interior de los exóticos recipientes de vidrio, observando con atención cada cambio en el color y la textura. Empieza el proceso sumido en la ignorancia, sabiendo que al principio está marcado por el caos. Pero lo considera algo positivo, un estado inicial muy prometedor.

Nicolás de Cusa, el gran filósofo del siglo XV, dijo de este estado inicial de caos: «No tiene nombre, aunque a veces se le denomina de distintas formas: Materia, Caos, Posibilidad, Potencialidad o Latencia».[1]

Observas el caos en el que te hallas al no poder quizás encontrar un trabajo que te llene, ya que sientes que el que estás haciendo ahora está muy lejos de ser el que deseas. Observas tus fracasos, los giros equivocados, las malas decisiones, los proyectos incompletos, los sueños lejanos y las expectativas frustrantes, todas las vidas están llenas de esta materia prima y lleva mucho tiempo hacer el inventario de ella. Sientes el caos que hay en tu vida y deseas hacer algo para resolverlo. Puede que no veas la situación en la que te encuentras como una posibilidad y una potencialidad, pero si confías en la sabiduría alquímica, quizás entreveas el secreto de lo caótico, ya que el caos te permite cambiar y desarrollarte, en cambio un trabajo o un cargo claro y fijo puede impedirte ver las posibilidades que te aguardan en el futuro. Al no estar inmerso en el caos quizá te sientas demasiado cómodo para considerar otras alternativas.

Por eso un buen paso inicial para descubrir cuál es el trabajo que estás destinado a hacer en la vida es uno silencioso. En él tomas conciencia de todas tus frustraciones, de tus dolorosas historias, de las influencias que te han condicionado, y observas quién y qué eres. La primera etapa es la de la observación: conocer la materia prima de la que estás hecho y de la que procedes. Te llegas a conocer a ti y a tu mundo mejor de lo que los conocías y este conocimiento te permite avanzar hacia el futuro.

Después de entrar en contacto con tu alma, tu vitalidad esencial, y de reflexionar sobre tus raíces y experiencias pasadas, estarás preparado para afrontar el caos de tu vida. Si no estuviera presente en ella serías feliz de una manera superficial con tu trabajo, pero no te sentirías impulsado a considerar tu profundo deseo de encontrar un trabajo que te llene. Comprender este caos de una forma positiva, por más perturbador que te resulte, puede marcar una gran diferencia.

PRIMA MATERIA O LA MATERIA PRIMA

Me gustaría que las personas que sufren al intentar encontrar un trabajo adecuado pudieran hacer un retiro conmigo. El primer día sólo nos plantearíamos las cuestiones básicas. Dejaríamos a un lado las opciones posibles relacionadas con la profesión y la formación, y les preguntaría a cada una: ¿Quién eres? ¿De dónde vienes? ¿Cómo eran tus antepasados y tus padres? ¿Qué clase de emociones sientes ahora? Y sobre todo, ¿cuáles son tus deseos y tus miedos? Así es cómo se inicia el proceso. Empiezas con el material básico y poco a poco te vas dirigiendo hacia la vida práctica.

Reflexionas sobre tus recuerdos para ver de una forma más profunda los obstáculos que te impiden encontrar el trabajo que estás destinado a hacer en la vida. En la actualidad queremos reducir aquello que nos molesta, pero en el fondo vale la pena sufrir un poco para descubrir más cosas sobre los factores que te están bloqueando.

En las sesiones de terapia he visto que muchas personas buscan algo que les satisfaga más en la vida, pero se han identificado tanto con el futuro, con las posibilidades que les bullen en la cabeza y que les producen un placer momentáneo, que no saben realmente lo que quieren, o más exactamente, lo que su corazón desea. El trabajo que estás destinado a hacer en la vida tiene que ver con un profundo deseo y no con un deseo pasajero: el deseo profundo y duradero de ser alguien y hacer algo en la vida. Sin embargo, a menudo la gente no se conoce lo bastante bien como para saber qué es lo que quiere.

Siempre me ha gustado la alquimia por ser un modelo del examen de uno mismo, ya que ofrece la imagen de alguien observando una pila de material caótico e informe. Al aplicar la psicología alquímica no nos vemos como si nos miráramos en un espejo, sino como el material del que está formado nuestro pasado y presente. El alquimista se concentra en la materia que ha echado en el crisol. Nosotros también podemos concentrarnos en el material que se ha ido vertiendo en nuestro interior a lo largo de los años y que nos ha convertido en quien ahora somos. De este modo podemos ver mejor lo que hay en nosotros y no lo que nos gustaría ver.

Observas tu vida hasta ahora y ves el caos que hay en ella. Nada encaja. Nada destaca. No hay orden alguno ni ningún signo de que vaya a ocurrir algo importante en el futuro. Pero así es como debe ser al principio. La sensación de caos no es agradable, pero te aseguro que es muy prometedora. El caos son las posibilidades en estado puro, sin metas claras ni una dirección a seguir en la vida que se interpongan en tu camino.

La gente que busca ayuda terapéutica suele venir a verme cuando su vida está inmersa en el caos. En cambio, cuando todo está en orden y la vida les va bien, pocas veces me llaman. Al sentirse sumidos en el caos es cuando desean abrirme su alma. El caos no es sólo un estado de desconcierto en la vida, sino una sensación desasosegadora de inestabilidad y confusión. Los alquimistas se refieren a este estado inicial como *massa confusa,* un término que no necesita traducción. Podríamos llamarlo «una gran confusión».

Mi amigo Scottie se encuentra sin duda sumido en el caos, con muchas partes de su vida a punto de desmoronarse. Pero no está en sintonía con él. Intenta sin cesar mantenerlo a raya procurando no dejar ningún espacio entre un trabajo que le va mal y el siguiente. Por lo que veo no quiere detenerse a observar el material de su vida. «Reacciona» al caos corriendo a ciegas de un lugar a otro en lugar de aceptarlo y afrontarlo directamente. Él mismo es caótico, yo creo que sería mejor para él que tomara una cierta distancia y observara el material caótico de su vida: su trabajo infeliz, su familia estresante, su matrimonio a punto de romperse, el alcoholismo y su depresión.

ENCUENTRA BUENOS RECIPIENTES

¿Cómo puedes afrontar el caos cuando la labor que estás destinado a hacer en la vida aún no ha tomado forma? Una manera moderna de hacer lo mismo que los alquimistas —verter todo el material, bueno y malo, en un recipiente de vidrio— es encontrar un buen receptáculo, alguna clase de recipiente que pueda contener el caos. Las sesiones de terapia constituyen esta clase de recipiente. Pero existen muchos más. Una amistad, una familia, una comunidad, una iglesia, un club, una conversación, un diario, una cena, un paseo con alguien... todo esto puede servir para contener el material que te atormenta mientras buscas desesperadamente descubrir el trabajo que estás destinado a hacer en la vida. Aunque dentro de todos estos recipientes se encuentra el más eficaz: las historias de tu vida.

El material de tus emociones, recuerdos y esperanzas aparece en las historias que cuentas, por eso es importante explicarlas abiertamente, por completo, y con sentimiento. Para ello necesitarás un amigo o incluso un profesional que pueda escuchar atentamente lo que tienes por decir.

Las historias no son lo mismo que las explicaciones y las interpretaciones. Solemos contar lo que nos va mal en la vida u ofrecer varios razonamientos de por qué nos sentimos atascados en ella. Pero estas ideas pueden formar parte del problema, ya que están configuradas por las mismas actitudes que se están interponiendo en nuestra vida.

En cambio las historias que contamos de nuestra vida son distintas. Son más neutras en el sentido de que pueden interpretarse de distintas formas. Al contarlas simplemente como unas historias, puedes observar tu vida desde una cierta distancia. Y al hacerlo quizás añadas detalles que te sorprendan y que ayuden al que las escucha a hacer algún descubrimiento sobre ti.

Probablemente disfrutarás al contar las historias de tu vida. Los relatos suelen ser mucho más agradables que el análisis o la interpretación. Nos gusta contar y escuchar historias, y este elemento de placer es importante mientras profundizas el proceso de explorar tus raíces y descubrir cuál es tu vocación en la vida.

Puedes contar tu historia desde el principio, empezando por los recuerdos de tu infancia y seguir a partir de ahí, o iniciarla relatando lo que te está ocurriendo ahora. Aunque una historia te parezca poco importante, no dejes de contarla, porque más tarde descubrirás que era significativa.

Mientras las cuentas, tus historias muestran que tu caos no es sólo una masa indefinible, un pegote de confusión, sino que está formado por elementos en particular. En él aparecen algunas personas fundamentales, situaciones que son más importantes que otras, sentimientos que persisten. Al contar tus historias empiezas ya a ordenar tu vida, aunque no las interpretes, porque te ayudan a revisar la confusión que hay en ella y hacerlo es un primer paso importante.

Los alquimistas llamaban a esta etapa inicial: *solutio*. Curiosamente la palabra *solución* tiene dos significados: resolver un problema o disolver algo en un líquido. En química se habla de una sustancia que está «en solución». En la alquimia esta palabra se utiliza con dos sentidos. *Solutio* puede significar «en solución», estar disolviéndose en un líquido, pero también tiene el significado más sombrío de algo que se está desmoronando.

Mientras ordenamos nuestro pasado y nuestras actuales emociones y luchas, quizá nos parezca que esta disolución u ordenamiento es un proceso doloroso. A lo mejor sentimos la tentación de omitir las historias que nos resultan dolorosas de recordar. Pero el proceso alquímico requiere tener un corazón valiente y ordenar todo lo que hemos experimentado hasta el momento.

Contar las historias de tu vida no sólo te ofrece un recipiente para el caos que hay en ella, sino que además te proporciona medios para ordenar tu vida. Pero hay historias buenas e historias malas, formas útiles de contarlas y formas inteligentes —pero en el fondo inútiles— de evitar contar las experiencias desagradables.

Aprender a contar bien las historias de tu vida es importante, porque una historia puede imponer prematuramente un significado donde aún reina el caos. Puede sacar antes de tiempo una conclusión que en realidad es errónea. Puede parecer significativa cuando no lo es.

Tom, un vecino mío, ha tenido éxito en su trabajo. Se gana muy bien la vida haciendo muchas de las cosas que le gustan, pero sigue sintiéndose infeliz e incompleto en su cargo actual como director de recursos humanos de una gran compañía. El ambiente impersonal de su trabajo parece ser su principal problema y ahora desea intensamente encontrar un trabajo más emprendedor, según la expresión que usa.

La compañía en la que trabaja le permite una cierta independencia y creatividad, pero su necesidad de expresar lo que lleva dentro es tan fuerte que se siente como si estuviera encerrado en ella. Tiene muchas ideas sobre lo que puede hacer por la sociedad y sobre cómo aprovechar mejor su tiempo y «presentar» su mensaje. Es una persona atractiva y brillante que sabe expresar muy bien sus ideas. Da la sensación de poder triunfar en cualquier proyecto que emprenda. Cuando le pregunté acerca de su descontento se puso a hablar de su padre y sus hermanos. «Aún intento complacer a mi padre», observó bromeando. Pero por supuesto no era ninguna broma. Mucha gente sigue intentando justificar su vida a los ojos de sus padres y la carga de la mala experiencia de una familia en su vida laboral condiciona negativamente a los hijos. Si los miembros de tu familia triunfaron en el trabajo, te encuentras con el reto de sentir que al menos debes triunfar como ellos. Y si fracasaron estrepitosamente, sientes la necesidad de librarte de ese legado. Entre estos dos extremos se encuentran todos los complicados valores y problemas de personalidad procedentes de la familia y que afectan las ideas y las vivencias de los hijos y los nietos.

Al empezar Tom a hablar del trabajo que le gustaría hacer en la vida, me contó cuánto le había apoyado su familia, pero a medida que se iba enfrascando en la historia, empezaron a aparecer *vacíos* en ella. (Una de las acepciones de *caos* es «vacío».) A medida que me contaba la historia, ésta se volvía más verídica y el caos más evidente. Al relatar la historia de nuestra vida no siempre descubrimos fácilmente el caos que reina en ella.

Una de las principales tareas de un terapeuta es ayudar a sus pacientes a contar las historias de su vida, ya que narrarlas es todo un arte tanto en el sentido estético como alquímico. Las cuentas dándole una forma y una dinámica, pero también lo haces para que tu corazón vibre, para que tus pensamientos sean más profundos y para que tus emociones afloren. Si en las primeras sesiones de la terapia se revela el caos de mi paciente, yo siento que están yendo bien.

AYUDAS PARA CONTAR TU HISTORIA

A lo largo de los años he ido creando ayudas sencillas que pueden serte útiles para examinar tu pasado o aconsejar a un amigo que está pasando por una crisis laboral. El objetivo de estas sencillas reglas es contar la historia con una actitud abierta y sincera, siendo fiel a cualquier fructífero caos que esté presente y captar cualquier intento consciente o inconsciente para hacer que la historia parezca mejor de lo que es.

En primer lugar le ofrezco a mi paciente la oportunidad y el espacio para recordar. La mayoría de nosotros estamos demasiados ocupados como para detenernos a recordar algo en serio. Le invito a contar sus historias y le escucho sin interferir en ellas. Aquí es donde el principio oriental del «no hacer» es esencial. Escuchar consiste ante todo en no hacer cosas que pueden parecer lógicas, intuitivas y útiles, como aclarar, interpretar y aconsejar. He de recordarme a mí mismo que no debo interferir en la historia de mi paciente ni interrumpirle, aunque me venga a la cabeza una magnífica intuición o interpretación. La historia que me está contando merece ser respetada.

Para participar plenamente en tu vida presente, debes asimilar tu pasado, hacerlo tuyo y sentirlo en toda su intensidad. Si te desentiendes de él, aunque sea sólo un poco, se convertirá en un obstáculo, en algo que no permites que forme parte de ti. Puede que te resulte molesto observarlo detenidamente, pero al asimilarlo también sentirás una gran satisfacción: el simple placer que produce descubrir cosas de ti mismo. Si no dejas que forme parte de ti, siempre estará ahí de todos modos influyéndote de manera subliminal y, en general, negativa. Seguirás dejándote llevar por tus viejos hábitos o rebelándote contra las vivencias que te acosan.

El pasado quizá no sea bonito, pero es quién eres, y si deseas un futuro mejor debes ser sincero contigo mismo acerca de dónde vienes, ya que es lo que te ha llevado a quién eres y tus decisiones actuales dependen de cómo te relaciones con él. ¿Vas a aceptar tu pasado y seguir adelante, o a evitarlo y seguir atrapado en él?

Tom parece haber realizado una catarsis simplemente al ver que el pasado de su familia es un factor en su descontento. Cuando le dije que deseaba que me hablara de él, vi una expresión de escepticismo en su rostro. Pero en cuanto empezó a contarme las historias de su vida, sus ojos se fueron relajando y sus dudas desaparecieron. Al contar las historias de su vida mis pacientes se conmueven y es obvio que descubren cosas importantes de ellas.

Por lo visto Tom no había advertido que aunque fuera adulto, seguía viviendo en parte en la mitología familiar: las suposiciones, los valores y las formas de ver el mundo con las que había crecido. Quizá tuviera sus propias opiniones sobre su madre, su padre y sus hermanos, pero ahora empezaba a verlos menos como unas personas en concreto y más como unos personajes de la propia historia de su vida.

No estamos acostumbrados a penetrar las capas más profundas de las historias que contamos o que escuchamos. Asimilamos los detalles y luego queremos considerar alguna acción a tomar, pero la primera vez que contamos una historia es sólo un esbozo. Tienes que contarla una y otra vez, porque se vuelve más rica, profunda y quizá más oscura cada vez que lo haces. Puedes ampliar algunos detalles que te llaman la atención o que te producen ansiedad o simplemente interés.

En las sesiones de terapia cuando un paciente termina de contarme alguna historia de su vida, puedo pedirle que me la vuelva a contar o que amplíe algunas partes que parecen provechosas. Lo cual es muy distinto que satisfacer una curiosidad por los detalles. Si una mujer me cuenta un embarazoso encuentro con un antiguo amante y yo le pregunto: «¿Dónde ocurrió», puede que sólo lo esté haciendo para satisfacer una curiosidad malsana en lugar de concentrarme en la esencia de la historia: el encuentro emocional. La curiosidad es una cosa y el escuchar terapéutico otra muy distinta. Puede llamarme la atención algo que mi paciente me cuenta por ser importante para el problema de su vida actual, o percibir que se siente incómodo al contarme la historia y suponer que hay alguna intensa emoción en esta área. Intento intensificar la experiencia del pasado en lugar de suavizarla o silenciarla.

Al explorar tus recuerdos siempre puedes profundizar más en ellos. Considera tu pasado como una historia impregnada de otra o como muchos niveles de acontecimientos. Puedes ser un arqueólogo de tu pasado, desenterrando los restos de tu vida y excavando cada vez a mayor profundidad, hasta que reluzca una percepción como una veta de oro en las profundidades de la oscura materia de tu historia. Una curiosa imagen de la alquimia muestra a dos hombres cavando como mineros buscando un valioso material enterrado en la tierra. Excavar en tu pasado es otra forma de hacer alquimia.

«Hurgar en el pasado» quizá no parezca demasiado atractivo. Posiblemente «excavar en el pasado para encontrar pepitas de oro» sea mejor. Cuando te dedicas a buscar un mineral valioso, no estás simplemente hurgando en los hechos, ya que lo más fascinante de las historias del pasado es que acostumbran a decirte algo esclarecedor sobre el presente. Al recordar que mi padre fue profesor, de pronto comprendí que yo formaba parte de un linaje. El deseo de enseñar no es sólo un capricho, sino que lo he heredado de él. Tiene unas raíces. Es mucho más grande que yo.

He visto que mis pacientes al descender en sus historias llegan a un punto en el que creen no poder profundizarlas más. Pero yo les animo a descender más aún y explorar las áreas que no parecen interesantes o que les producen terror o repugnancia de algún modo. Este paso a un nuevo territorio casi siempre nos ofrece descubrimientos muy útiles.

En una ocasión acudió a mis sesiones de terapia un joven que vivía manteniendo un *ménage à trois* con dos mujeres. Una era fuerte y con mucho carácter y la otra sumisa y silenciosa. A él le gustaba la compleja relación en general, pero también sentía que era demasiado servil y que a menudo se aprovechaban de él. Anteriormente me había contado detalles sobre su madre, como que cuando él era niño solía dormir casi siempre hasta el mediodía porque estaba deprimida y era incapaz de llevar una vida activa. Un día le pedí que volviera a contarme la historia y al hacerlo añadió el detalle de que su padre siempre le preparaba el desayuno a su madre y se lo llevaba a la cama. Era un pequeño detalle, pero nos llevó a una profunda conversación sobre las luchas de poder entre hombres y mujeres, un tema esencial en su extraña vida doméstica.

Una tercera técnica es advertir que te resistes a recordar algo. Quizá termines tu historia abruptamente o dudes de seguir contándola. Tal vez te saltes ciertos detalles o los descartes con una observación como: «No es necesario hablar de eso». O que seas más directo: «Es algo de lo que nunca he podido hablar».

Cuando veo que un paciente que realmente desea explorarse a sí mismo se resiste a recordar algo, no lo presiono ni intento sonsacarle una confesión. Tengo paciencia y le voy ofreciendo en otras sesiones oportunidades para abrirse. Normalmente la paciencia tiene sus recompensas, porque en el fondo desea contar la historia. Los arqueólogos somos muy pacientes.

La resistencia es sutil y a menudo no parece un mecanismo de defensa: de pronto te sientes cansado. O recuerdas algo que tienes que hacer con urgencia. O decides que es mejor seguir hablando de ello en otro momento. Pero al mismo tiempo, sientes que hay una historia en ti que deseas contar. Yo nunca he creído que una persona deba contarlo todo ni abrirse por completo. Algunas historias quizá no lleguen a contarse nunca. Pero normalmente esta clase de resistencia se debe al miedo y es bueno dar algunos pasos para contar una historia que a uno le cuesta revelar.

Mientras cuentas tus historias, sobre todo las que has ocultado durante mucho tiempo, descubrirás nuevos detalles sobre tu pasado y tu carácter. Te conocerás mejor y estarás más preparado para tomar decisiones. Al revelar una historia que habías ocultado, tu comprensión de la misma aumenta.

El paciente que vivía manteniendo un *ménage à trois* después de sorprenderse al recordar a su padre sirviendo el desayuno a su madre, sintió una gran necesidad de profundizar más en la historia y en otras relacionadas con ella. Acababa de montar un negocio y había descubierto que en él tenía los mismos problemas que en casa: era demasiado pasivo y complaciente con sus clientes, al igual que le ocurría con sus compañeras de piso. Las historias de sus padres le ayudaron a explorar este crucial aspecto de su carácter. Cualquiera puede emplear estas tres simples técnicas para reflexionar en la influencia del pasado. Puedes darte la oportunidad de contar tu historia con claridad y abiertamente, sin intentar interpretarla ni tomar alguna resolución para mejorar. Hacerlo una y otra vez y ver cómo al volver a contarla aparecen detalles nuevos que te afectan emocionalmente en cierto modo. Esta clase de detalles que van saliendo es un paso hacia la dirección adecuada.

Y por último puedes advertir que te resistes a contar ciertas partes de tu historia. Que omites algo, dudas o tiendes a quitarle importancia a ciertos detalles. No es fácil reconocer tus propias interferencias, por eso es tan útil un buen amigo que te escuche con atención, sobre todo cuando necesitas que te animen a afrontar los recuerdos dolorosos. Al final apreciarás tanto el valor positivo del caos que hay en tu vida laboral aún sin formar, que desearás buscarlo y asegurarte de que se revele en tu historia.

A veces un detalle es imprescindible para hacer un gran avance y en cambio nos limitamos a generalizar. Una persona puede decir: «Sí, mi familia no me apoyó demasiado cuando estaba en la universidad». Pero en realidad la historia es: «Mi padre quería que llevara el negocio que él había montado y se decepcionó mucho al saber que quería dedicarme a las Bellas Artes». Cualquier buena historia es concreta, como las que contamos para volver a conectar con el pasado.

Contar las historias del pasado es una forma de mantener un estrecho contacto con los obstáculos que nos impiden alcanzar el *opus*. En lugar de evadirnos con agradables fantasías sobre un exitoso futuro, es mejor reunir el valor necesario para afrontar el pasado con todos sus perturbadores detalles.

Por supuesto, también es importante hablar del presente: de cómo te sientes ahora, de lo que está ocurriendo en tu vida, y de las esperanzas y miedos que te están afectando. El caos presente es un rico recurso.

Contar tu historia es una poderosa forma de llegar hasta el fondo de tu realidad, un estado en el que estás plenamente presente a tus emociones y pensamientos y desde el que puedes progresar con todos tus recursos. Oyes las historias que cuentas y adviertes detalles que se te pasaron por alto en la privacidad de tus pensamientos. Ves la reacción de quien te está escuchando. Tienes una conexión con esta persona y ella puede ayudarte a esclarecer tus pensamientos y a dominar tus emociones. Poder contar una historia abriéndole tu corazón a un amigo o a un bondadoso desconocido es una de las cosas más valiosas que hay en la vida.

LOS MECANISMOS DE LA IMAGINACIÓN

¿Por qué razón un fracaso y unas malas decisiones nos impulsan a tomar un buen rumbo en la vida? Una respuesta podría ser por estar relacionado con la diminuta capacidad de la mente humana. Técnicamente la mente humana es vasta y complicada, pero comparada con las infinitas posibilidades de la vida, es diminuta y no tiene ni punto de comparación con la riqueza y la imprevisibilidad de ésta.

Tendemos a interpretar nuestras experiencias de la forma en que nuestra familia, o la cultura en la que vivimos, siempre lo han hecho. O tenemos nuestros propios prejuicios y hábitos mentales que limitan lo que vemos y experimentamos. Suponemos que siempre experimentamos una realidad objetiva cuando en el fondo estamos viendo las cosas condicionados por las historias familiares que hemos vivido. Afrontamos el reto del caos imponiéndole un orden conocido que acostumbra a ser el orden inveterado y defensivo de siempre para no afrontar lo nuevo y lo inesperado. Las malas decisiones suelen proceder de no ver la vida extendiéndose ante nosotros en todo su alcance. Nuestros hábitos de interpretar la realidad son como anteojeras.

A veces un trabajo o una carrera profesional no funciona porque no está hecho para nosotros, pero no solemos verlo porque nuestra imaginación no puede captar la riqueza de posibilidades. Sobre todo en los momentos en que debemos tomar una gran decisión, nos concentramos en un área demasiado limitada. Nuestro conocimiento de cómo funciona la vida es restringido, hasta que cometemos los suficientes errores como para conocerla mejor. Pero por más que cometamos, nunca bastarán para conocer todas las posibilidades de la vida.

Al fracasar conocemos un nuevo territorio. Nos vemos obligados a considerar opciones que antes ni se nos habrían ocurrido dada nuestra situación estable y el claro futuro. Pero ahora al fracasar, debemos tener en cuenta una variedad más amplia de opciones. Quizá lo hagamos en un estado de ansiedad, pero la imaginación se agudiza de todos modos.

Scottie aceptó un trabajo como vendedor de coches, pero enseguida descubrió que no estaba hecho para él y que esta profesión no le interesaba. Fue un pésimo vendedor y al cabo de varias semanas le pidieron que abandonara la empresa. Por supuesto se sintió fatal con el despido, pero al menos supo que las ventas no era lo suyo en la vida. Lo aprendió por las malas, pero captó una valiosa lección. Su imaginación volvió entonces a centrarse en su propio campo y reunió una nueva energía para encontrar un lugar mejor en un área laboral que ya conocía.

El fracaso es a menudo la causa de un nuevo periodo caótico en la vida pero si eres capaz de apreciar la visión alquímica del caos, a pesar del sufrimiento que produce, descubrirás que la confusión va acompañada de nuevas posibilidades. El caos es fértil, y el fracaso puede ser la madre del caos.

Hay que reconocer que las emociones que rodean al fracaso pueden ser tan fuertes y negativas que ver el elemento creativo que comporta parece una ingenuidad y un optimismo exagerado. Pero los seres humanos podemos sentir y hacer varias cosas a la vez. Puedes estar agobiado por la negatividad del fracaso y ser al mismo tiempo capaz de imaginar la oportunidad que acarrea.

Una persona con imaginación no se viene abajo con el peso abrumador de los hechos y los sentimientos porque los penetra con ella, pero para hacerlo necesita algunas cualidades básicas.

La imaginación es como un músculo del cuerpo: funciona con más eficacia, sobre todo al tenerlo todo en contra, cuando la has estado estimulando, ejercitando y agudizando. A lo largo de tu vida, aunque no atravieses ninguna crisis laboral, puedes usar tu imaginación habitualmente, viendo el montón de posibilidades que tienes cuando los hechos sugieren lo contrario.

Mi vecino Tom siempre está preparado con una nueva idea. Ahora está haciendo un trabajo bien pagado que le hace sentir seguro. Estas dos ventajas no son sólo recompensas envidiables, sino que para muchas personas serían obstáculos para un futuro progreso, porque para no perder un buen salario y la seguridad económica, cierran su imaginación a la posibilidad de realizar otro trabajo.

Pero Tom tiene un espíritu fuerte y una imaginación inusualmente viva. Puede ver que a pesar de la seguridad económica que le aporta, el trabajo no le llena, y se imagina en una profesión que, aunque no sea tan segura económicamente, le sigue dando el dinero que necesita y colma al mismo tiempo su deseo de dedicarse a una clase de trabajo más emprendedor.

Por supuesto, el salto de dejar su seguro trabajo le produce una cierta angustia, pero su gran habilidad para imaginar una situación laboral más satisfactoria lo apoya. Se toma con calma resolver las cuestiones realistas relacionadas con su sueño, pero poco a poco va yendo hacia donde su espíritu quiere llevarle.

Debes confiar en tu imaginación, incluso cuando los demás te aconsejen seguir como hasta ahora y cuando los hechos de tu situación se interpongan en tu camino como un enorme muro de granito. La imaginación es capaz de penetrar muros gigantescos cuando no la reprimimos.

LA INSPIRACIÓN POTENCIA LA IMAGINACIÓN

Puedes educar y entrenar tu imaginación leyendo con atención. Las biografías de las personas que han triunfado en la vida te inspirarán al ofrecerte modelos, ya que la mayoría de los líderes conocidos han tenido que superar obstáculos que posiblemente tú nunca debas afrontar.

La biografía es una forma especial de literatura en la que puedes imaginarte tal como eres o como te gustaría ser. Te permite identificarte con la persona sobre la que estás leyendo o descubrir lo que no quieres ser. Aunque leer las vidas de los demás no tiene por qué ser algo tan personal ni práctico, también puede ayudarte a desarrollar una filosofía de la vida al ofrecerte una sensación más amplia y variada de lo que significa ser un ser humano. Las personas extraordinarias nos muestran el gran alcance de las posibilidades humanas.

Mi filosofía personal de la vida le debe mucho a la de Ralph Waldo Emerson, que nos demuestra cómo ser un líder espiritual sin necesidad de pertenecer a una institución o a una religión. A la de Emily Dickinson, que tuvo el valor y la imaginación para crear un estilo de vida excéntrico que representaba sus ideas y valores. E incluso a la del marqués de Sade, que al expresar su oscura visión de la tendencia humana a la maldad, se arriesgó a que lo encarcelaran y a que la sociedad lo despreciara. Permanecen grabadas en mi mente muchas otras biografías y me vienen a la cabeza cuando estoy afrontando algún reto especial. Entonces recuerdo que las personas más creativas encuentran soluciones inesperadas a los problemas cotidianos.

Para mí también ha sido importante leer una y otra vez libros sobre temas espirituales y psicológicos como los Evangelios, los poemas de William Blake, el Tao Te Ching, y las obras de C. G. Jung, James Hillman, Marsilio Ficino, Anne Sexton, los poetas sufís, Samuel Beckett y Oscar Wilde. Los textos y los escritos clásicos me resultan más útiles que los contemporáneos, al menos como base para otras lecturas.

Los inspiradores ejemplos de las vidas originales de los demás y las palabras alentadoras llenas de sabiduría potencian la imaginación y hacen que sea un factor más en la decisión que tomas sobre tu vocación. Ves las distintas direcciones que las personas famosas han tomado en sus profesiones. Eres más consciente de tus obstáculos al ver cómo ellas han afrontado los suyos. Te infunden ánimo al descubrir hasta qué punto tocaron fondo y cómo lograron sin embargo salir a flote.

Buscar una inspiración consistente y útil forma parte del arte, un aspecto de la alquimia a través del cual tu yo creativo se manifiesta. La literatura y las enseñanzas inspiradoras quizá no sean más que tópicos y clichés superficiales que consuelan más que inspiran, pero esto no significa que la propia inspiración haya de ser siempre superficial.

La palabra *inspire* significa «inhalar» y nos recuerda la idea de que estar vivo en el cuerpo y en el alma significa inhalar y exhalar. Un ejemplo inspirador hace que vuelvas a respirar y que estés preparado para afrontar tu vocación con una renovada vitalidad. Te sumerges en un manantial más grande que tú —una gran vida, un libro lleno de sabiduría, un poema que te hace vibrar— y abordas tus decisiones con más profundidad y amplitud.

EL TRABAJO NOCTURNO

Algunos momentos decisivos son los que han estructurado mi vida: irme de casa a los trece años para entrar en un monasterio, dejar la vida religiosa a los veintiséis, estudiar religión en la Universidad de Siracusa y después enseñar en otra institución, no conseguir una plaza fija en la universidad y trabajar como psicoterapeuta en una consulta privada, publicar un libro que se ha hecho popular y convertirme en escritor. Desde que me negaron una plaza fija en la universidad hasta que me convertí en un escritor a tiempo completo, he tenido una serie de sueños con una imagen en común: un enorme avión de pasajeros intentando aterrizar en las abarrotadas calles de una gran ciudad.

Durante estos cruciales años de mi vida, cuando el caos era la norma, estos sueños me mantuvieron centrado en el impacto que los acontecimientos externos habían producido en mi alma. En la vida he tenido que afrontar muchos cambios y retos, y en general sentía que me faltaba algo. No era infeliz, pero tenía la incómoda y crónica sensación de que debía encontrar mi lugar en la vida. Recuerdo que en una ocasión en la que mi madre vino a visitarme me dijo echando un vistazo a la casa que yo había alquilado: «Tom, ¿cuándo vas a comprar tus propios muebles?» A los cuarenta aún no sabía cuál era mi vocación. Podía tomar distintos caminos, y lo hice.

Durante varios años seguí soñando con el avión de pasajeros. Había estudiado la psicología junguiana a fondo y me interesaban mucho mis sueños y los de mis pacientes. Como terapeuta llegué hasta el punto de no querer hacer ninguna sesión sin antes considerar los sueños de mis pacientes. Descubrí que aunque los sueños eran misteriosos y nunca revelaban por completo o con claridad lo que querían decir, ofrecían percepciones invalorables. Vi que al igual que la inspiración potencia la imaginación, los sueños revelan la profundidad de la imaginación en acción mientras nos hacemos conjeturas sobre el trabajo que estamos destinados a hacer en la vida.

Al igual que en el caso de contar las historias, he creado unas reglas sencillas para los sueños: en primer lugar comparto la misma idea de James Hillman sobre que es mejor no apresurarse a interpretar un sueño y dejar que las imágenes que aparecen en él estimulen la imaginación. Es más importante dejar que las imágenes te influyan que traducirlas en el mundo que tan bien conoces. El sueño que has tenido puede ofrecerte percepciones nuevas si dejas que te estimule las ideas y no te apresuras a sacar conclusiones y resoluciones que ya están presentes. Mi objetivo al hablar de un sueño es conocer más las profundidades de la mente humana, los temas y los motivos desconocidos y misteriosos que actúan en la vida.

En segundo lugar, normalmente puedo dar algún sentido al sueño si advierto lo que el que sueña está haciendo en él. A menudo se está defendiendo o haciendo algo que otras figuras en el sueño no aprueban. Interpreto estas acciones como una actitud defensiva contra el resto del sueño. Estas pautas no aparecen en todos los sueños, pero sí que lo hacen lo suficiente como para observarlas en cada caso.

En tercer lugar, sugiero a mi paciente que busque una imagen o motivo que defina el sueño. La mía, sobre un avión de pasajeros, parece ser una profunda imagen estructuradora. No sé exactamente lo que significa, pero tengo algunas ideas sobre ello.

Después de soñar con esta imagen en varias ocasiones, me pareció que describía mi situación de intentar «hacer aterrizar» mis ideales y ambiciones en un verdadero trabajo. Estaba sumido en el caos y experimentando por completo la sensación de incertidumbre y fragilidad que crea. Había albergado la pueril esperanza de que todo se acabaría resolviendo, pero no tenía ninguna idea práctica de cómo iba a ocurrir. Tenía unas enormes ambiciones y me había hecho una gran promesa, pero me faltaba el lugar adecuado para hacerlas «aterrizar».

De pronto, en plena madurez, alrededor de los cincuenta, mi situación empezó a cambiar. Me casé por segunda vez, me convertí en padrastro y aquel mismo año tuve una hija. El libro que había publicado se vendió bien y por primera vez en la vida tenía dinero para comprar una casa y sacar adelante a una familia. Por fin pude tener mis propios muebles. La pista de aterrizaje se estaba preparando. Tuve que tomarme mi trabajo de escritor más en serio que antes y acepté los planes de promoción de mi obra y las conferencias públicas. Toda esta actividad me hizo madurar y sentir que tenía más de un lugar en el planeta. En aquella época recuerdo que soñé que viajaba en un avión enorme, lo conocía muy bien porque había soñado con él en otras ocasiones, y que aterrizaba sano y salvo, aunque con un poco de torpeza, en la concurrida calle de una ciudad, con unos imponentes rascacielos alzándose a cada lado e hileras de gente contemplándome en las calles.

Mis sueños sobre el avión de pasajeros fueron desapareciendo poco a poco. Pero aún pienso en ellos y creo que me ayudaron a establecerme y a basarme en mi vocación. Me recordaron que debía desear con claridad formar parte del mundo en lugar de ir a la deriva alejándome de él, que poco a poco debía aprender a aterrizar.

Los sueños no esclarecen la situación al instante, pero hacen que la imaginación se abra y le dan la profundidad y el misterio necesario. Si la imaginación es demasiado racional no puede alcanzar todo aquello de lo que es capaz. Ser consciente de tus sueños te permite vivir en un punto medio entre la vida cotidiana y la profundidad de tu ser. Si estás familiarizado con las imágenes y las actividades que aparecen en ellos puedes entender mejor todos los aspectos de la imaginación, desde el arte hasta la conversación.

La gente a veces me dice que si no está interesada en interpretar sus sueños, ¿para qué preocuparse por ellos? Pero interpretarlos no es la única forma eficaz de afrontarlos. Anotarlos en un diario o una libretita y hablar de ellos con la familia y los amigos también hace que con el tiempo te vayas familiarizando con las imágenes que aparecen en los sueños. Y entonces advertirás en las novelas, los poemas y en las historias que cuentas o escuchas sobre la vida cotidiana las mismas imágenes que aparecen en tus sueños. Anotar tus sueños con regularidad te prepara para el reino de imágenes que encierra el misterio de tu existencia. Puedes ir, por ejemplo, a un museo de arte y descubrir que reflejas tus sueños en las pinturas y las esculturas que ves en él. Comprender algo sobre el arte te ayudará a apreciar tus sueños y viceversa, al estar familiarizado con tus sueños descubrirás que te resulta más fácil comprender el arte. Ambos te pondrán al descubierto los misterios de tu vida cotidiana en tus relaciones y en tu trabajo.

Los sueños son sobre todo importantes en el proceso de saber cuál es tu vocación en la vida porque tienes que profundizar mucho en ti para descubrirlo. Las ideas y opiniones superficiales no sirven para percibir algo tan profundo como tu vocación. En cambio los sueños te darán pistas sobre la dinámica de tu búsqueda y la naturaleza de tu vocación. Harán que estés preparado para percibirla y te darán pistas sobre dónde buscarla y cómo encontrarla.

Las palabras de Nicolás de Cusa para describir el caos —Posibilidad, Potencialidad, Latencia— tienen sentido con relación a esta caótica etapa de la búsqueda de la vocación. La época de caos puede ser un periodo doloroso, pero trabajar a fondo en ella con imaginación activa puede revelar posibilidades latentes que están esperando a que las desarrolles.

A veces aquello que nos desconcierta cuando intentamos encontrar nuestro camino en la vida no es el caos sino el orden. Aunque es cierto que muchas personas no saben cómo encauzar la confusión que hay a su alrededor y en su interior, otras en cambio son profundamente infelices a pesar de que la vida parezca irles sobre ruedas, ya que pese a su exitosa carrera profesional o a su trabajo tan bien renumerado, por dentro se sienten atrapadas en el éxito o son incapaces de cambiar de profesión por razones económicas o por la reputación de la que gozan. Muchas de ellas luchan por mantenerse a flote en medio de la confusión, mientras que otras, como veremos en el siguiente capítulo, se sienten encerradas en la torre de su éxito.

6

Vivir en una torre

Vacíate y llénate,
agótate y renuévate,
sé pobre y sé rico,
sumérgete en la claridad y en la confusión.

TAO TE CHING

En un cuento de hadas una mujer embarazada tiene el desesperado antojo de comer un rapónchigo —una raíz utilizada
en las ensaladas parecida al rábano— pero no puede conseguirlo. Así que su marido decide robar uno en el huerto de
una bruja, una mala decisión. La bruja lo descubre y le obli-
ga a hacer un trato con ella: puede llevarse el rapónchigo si
le promete darle cuando nazca el bebé que su mujer espera.

Al cabo de un tiempo la pareja tiene una niña y el padre decide llamarla Rapunzel, un nombre que viene de la
planta vinculada de una forma tan tenebrosa con su nacimiento. Cuando la niña cumple doce años la bruja exige a
sus padres que se la entreguen. Entonces se lleva a la hermosa niña y la encierra en una torre en medio del bosque.
Aunque va a visitarla trepando cada día por la larga me-
lena dorada que la niña deja caer por un lado de la torre,

después de cantarle una canción que muchos niños se saben de memoria: «Rapunzel, Rapunzel, suéltate la cabellera».

Un día un príncipe pasa por el lugar y al oír cantar a la joven se queda prendado de su melodiosa voz. Cuando descubre que la bruja canta su pequeño mantra y trepa por la larga cabellera de Rapunzel, decide recitarlo y trepar a la torre cuando la bruja se ha ido.

Los dos se enamoran y empiezan a verse con regularidad. Pero un día a la joven se le escapa sin querer que el príncipe va a verla cada día. O en otra versión del cuento la hechicera advierte que a la joven la ropa se le está quedando pequeña en la cintura. Entonces se da cuenta de lo ocurrido, le corta el pelo a Rapunzel y lo deja en el extremo de la torre para que el príncipe crea que la joven lo está esperando. Cuando el príncipe sube a la torre y ve a la bruja en lugar de la joven, fuera de sí de dolor y desesperación se arroja desde lo alto de la torre, y al caer sobre unos espinos éstos se le clavan en los ojos y se queda ciego.

La hechicera deja a Rapunzel en un lugar solitario y la joven da a luz a dos gemelos, un niño y una niña. Durante años el príncipe vaga de un lugar a otro buscando desesperado a Rapunzel. Al fin la encuentra con sus dos hijitos y al echársele ella al cuello y llorar de alegría, dos de sus lágrimas le humedecen los ojos al príncipe y en aquel mismo instante recupera la vista. Él se los lleva a su reino, donde viven felices para siempre.

Los cuentos de hadas, como la mitología y las enseñanzas religiosas, revelan algunas de las pautas de conducta que a menudo constituyen un reto para los seres humanos cuando intentan ser felices en la vida. Los cuentos de hadas suelen ser misteriosos y estar llenos de personajes malvados que obstaculizan un resultado feliz, al igual que la vida tiene sus peligros y obstáculos.

Para algunos, la alquimia de descubrir su vocación no empieza con el caos sino con el éxito. Varios de mis pacientes que se sentían descontentos con su profesión trabajaban en una torre, en un rascacielos o en un edificio alto que les producía la sensación de haber triunfado en el trabajo. No eran felices, pero se enorgullecían de los grandes beneficios que les reportaba.

La historia de Rapunzel trata del problema de descubrir cuál es tu verdadera vocación cuando en realidad el problema es tu propio éxito. Se inicia con una mujer que tiene el antojo de comerse una raíz: un rapónchigo. Es una metáfora convincente: la mujer busca profundidad y raíces en la vida, pero no las encuentra. Por eso su marido intenta robarlas de una hechicera, evidentemente un plan peligroso.

Si interpretamos la hortaliza como el tesoro del cuento, vemos que la historia trata de la necesidad de profundizar en uno mismo. La torre representa justo lo contrario: la prisión en la que nos encerramos cuando estamos desarraigados, desconectados de los profundos elementos que nos alimentan. Esta torre de riqueza, prestigio o poder en el escalafón laboral puede actuar como un hechizo, adormeciéndonos, haciéndonos olvidar las cosas importantes y manteniéndonos desconectados de la vida real: en el cuento de hadas, tener una pareja, una familia y un hogar.

Muchas personas que ocupan un alto cargo en el mundo laboral descubren que se sienten descontentas, incompletas y vacías. Quizás intenten resolver este problema ascendiendo más aún en el mundo laboral cuando en realidad lo que deberían hacer es descender a las profundidades de su ser. La familia, el hogar, los amigos, y una arraigada espiritualidad quizá sean las raíces que les den el alimento que ansían recibir.

Brian, una persona elocuente, educada y sensible, me escribió acerca de la búsqueda de su vocación. Estudió inglés y latín en la universidad, sin pensar en la necesidad material de ganarse la vida. Decidió trabajar de profesor en un instituto. El proceso de sacarse el título le resultó de lo más «rimbombante», dice él. «Las autoridades académicas eran pomposas y el certificado oficial que me dieron proclamaba que yo era una persona de "una buena moral" basándose sólo en el hecho de que había asistido a todas las clases requeridas para sacarme el título.» Suena igual que Sting intentando ser funcionario.

Como el latín era su fuerte, intentó enseñar esta asignatura a alumnos que se burlaban y mofaban de él. Cree que fue un buen profesor, pero su corazón estaba en otra parte. Por casualidad le salió un empleo como formador de una empresa, donde hizo un buen papel, aunque no dominara el tema, del cual afirma no saber nada.

«Siempre me he sentido desconectado de mi trabajo», me escribió en una carta. «No elegí trabajar como formador de una empresa, fue la empresa la que me eligió a mí. No fue una experiencia agradable que me llenara ni me hiciera feliz. Pero era bueno en mi trabajo. La gente ni siquiera podía imaginar la lucha interior que yo experimentaba.» Este punto es importante: las personas que parecen ser felices con su éxito, en lo alto de las torres de sus logros, pueden estar sufriendo por dentro al sentirse insatisfechas con su trabajo. Les cuesta expresar su infelicidad a las personas próximas a ellos porque parecen tenerlo todo para ser felices. Sienten que no tienen derecho a quejarse.

Brian estuvo cambiando de trabajo porque en el fondo no le llenaba ninguno de los que hacía. Pero sabía que debía ganarse la vida de alguna forma. Él dice que siempre se ha sentido como un extraño en el lugar de trabajo. Aún no ha encontrado el trabajo idóneo y siempre está deseando hacer otro distinto. «Quiero un trabajo que me apasione tanto, que me llene, que sienta sin lugar a dudas que es valioso para mí.»

Brian es una persona de pensamientos elevados e incluso espirituales sobre el trabajo y sobre aquello que le gustaría hacer en la vida, y tiene un buen empleo en una compañía, pero sabe que le faltan algunos importantes ingredientes. Busca sentir una profunda conexión con su trabajo. Se siente encerrado en la torre de marfil del mundo corporativo y de la educación académica. Tiene los mismos problemas que Rapunzel.

Por la forma de hablar de Brian advertí que sentía una gran impotencia. Aunque había triunfado a un nivel y los demás creían que estaba progresando en su carrera, se sentía desconectado de su trabajo y esta profunda desconexión le hacía sufrir mucho. Estaba recibiendo algunos de los beneficios que deseaba de él, pero le seguía faltando lo más importante: un trabajo que diera sentido a su vida, con unos valores, y que encajara con su carácter. Brian parece ser víctima de las circunstancias en lugar de controlar su propia vida.

Me pregunto si este problema personal, que seguramente procede de su pasado, es la profunda causa subyacente de su descontento. Al igual que Scottie, no deja de buscar el trabajo idóneo para él, pero no hay ninguna señal de que se haya dedicado a mirar a fondo en su interior. Sospecho que necesita hacer un largo inventario de sus profundos sentimientos y de su pasado, porque ahí es donde se encuentra la esencia de su ser. Si intentas buscar sin cesar el trabajo que te llene sin mirar a fondo dentro de ti, puede que lo estés buscando durante años sin alcanzar tu meta.

En el cuento de hadas la mujer embarazada tiene el fuerte antojo de comerse un rapónchigo, pero su marido se lo intenta robar a una persona de un considerable poder. De hecho hay la tendencia a plagiar el profundo conocimiento interior que necesitamos adquirir en la vida. Cogemos prestada la idea de alguien o la de un sistema o grupo. Pero necesitamos tener nuestra propia profunda visión y no la de otra persona o la de algún enfoque estereotipado. Necesitamos tener nuestra propia historia, nuestros profundos sentimientos y nuestra arraigada visión. Una vocación es distinta de una carrera profesional en el sentido de que siempre es única. Nadie tiene la misma que tú. No puedes robar o coger prestada la vocación de otro.

Mi trabajo como terapeuta me resultaría más fácil si yo tuviera un diccionario de sueños y un manual para resolver los retos de la vida, pero cada persona tiene su propio pasado y un estilo particular de ser. Tom, mi vecino, no tiene un simple complejo paterno, sino que tuvo una persona muy particular como padre, al cual a su vez también le ocurrió lo mismo. Aunque a todos nos gustaría recibir algunas respuestas sencillas, tenemos que excavar en la complejidad única de nuestra vida para encontrar las raíces de nuestros deseos y ansiedades.

La historia de Rapunzel también sugiere que tenemos que perder aquello que más queremos para recibir el profundo alimento que necesitamos. La historia contiene un trueque: la mujer consigue sus raíces a cambio de su hija. En una interpretación junguiana de los cuentos de hadas, la hija sería la figura del alma que representa las misteriosas profundidades del yo que se muestra a sí mismo de distintas formas. Puede que obtengamos en parte la profundidad que necesitamos, pero a cambio de perder una parte nuestra, sobre todo si vivimos encerrados en una torre. Cuando subimos muy alto, nos arriesgamos a perder nuestra profundidad.

Algunas personas disfrutan en lo alto de la torre de su oficina o de su cubículo, en cambio otras se sienten incómodas en el enrarecido ambiente de estos encumbrados lugares. Un ejecutivo de altos vuelos quizá descubra después de conseguir su despacho en la parte más lujosa del edificio que aún no ha culminado su *opus,* porque sigue sintiendo un vacío que necesita llenar. Tal vez piense que lo que desea es llegar más alto aún cuando su corazón lo que quiere en realidad es algo más profundo. Quizá pueda llenar este vacío que siente pasando más tiempo con su pareja, con su familia, con una afición o ayudando a mejorar la sociedad y colaborando en los servicios sociales, haciendo un trabajo donde pueda llenar su necesidad de contribuir de una forma más significativa.

En el cuento de Rapunzel hay mucho movimiento ascendente y descendente gracias a la larga y hermosa cabellera dorada de la joven. En la vida humana también ha de haber un libre acceso entre la altura de nuestras ambiciones y la profundidad de nuestro corazón. Necesitamos ir hacia ambas direcciones: ascender por la escalera del éxito y los logros y descender para estar en contacto con el pasado, los sentimientos profundos y las relaciones importantes. Los que son muy conscientes de ello hablan de «crecer» interiormente e intentan expandir su vida y su visión. Pocas veces oímos hablar de «profundizar» y sin embargo es un proceso igual de importante en el que te conviertes en una persona más compleja y comprometida con el mundo.

Scottie suele quedarse atrapado en una de las soluciones concretas que encuentra, en un trabajo más que no es el idóneo para él, mientras que en lo más profundo de su ser ansía sentirse lleno con algo que no sabe definir. Brian está enamorado de la belleza y la inteligencia etéreas, pero en cambio siempre acaba haciendo trabajos que sólo cubren las necesidades materiales de su familia. En estas dos personas se ve una escisión entre su búsqueda de un trabajo bien renumerado y la necesidad de encontrar una profesión que le dé sentido a su vida, una profesión con la que se sientan conectados e identificados. Al decir *identificados* me refiero a que el trabajo exprese quién eres y llene tus necesidades básicas como persona.

Si en el cuento de hadas hay una acción salvadora, ésta es sin duda la voz de Rapunzel cantando en la torre y la habilidad del príncipe para oírla. Si mientras estamos encerrados en nuestra torre de marfil nuestro corazón aún puede cantar, quizás un día llegue un príncipe y recuperemos lo más valioso de todo: una vida normal. A veces nos pasamos años sin confesar a nadie que somos infelices. No sabemos cómo expresar nuestra insatisfacción o no creemos tener derecho a quejarnos. Pero un día descubrimos que no es necesario confesar abiertamente lo que sentimos, todo lo que debemos hacer es expresarlo de algún modo, como cantando una canción, en el sentido literal o metafórico. Tenemos que sacar fuera nuestra infelicidad y ser escuchados.

El deseo de volver a conectar con tu identidad y tus emociones básicas, sobre todo cuando te quedas atrapado en una carrera absorbente o en ascender en el mundo laboral, también tiene que ver con tu vocación. Cuanto más alto subes, más te arriesgas a perder el contacto con la base de tus profundidades y de tus sentimientos más hondos. Al estar desconectado de tu pasado y de las raíces familiares, interpretas esta desconexión como una sensación de vacío o de una carencia. Quizá te preocupen tanto los detalles de tu trabajo que te olvides de lo importantes que son el hogar, la familia y los amigos para descubrir cuál es tu vocación.

EL RETORNO A LO MÁS PROFUNDO DE TI

En una ocasión una persona me llamó a un programa de radio en el que yo participaba. Me contó que había dejado Alabama para irse a Wisconsin, donde le había salido un trabajo mejor. Le gustaba el lugar y la gente, pero al principio este cambio le provocó una cierta angustia. Estaba deprimido y no podía concentrarse en su nuevo trabajo. Al cabo de varias semanas, al preguntarse si debía volver a Alabama, su tierra natal, se dio cuenta de que echaba de menos la comida sureña. De modo que les pidió a sus padres que le enviaran especias y varias recetas de sus platos favoritos. Y se dedicó a cocinar en Wisconsin su comida predilecta, donde, según dijo, todo cuanto la gente comía era queso, y su depresión desapareció.

Lo más profundo de uno puede estar formado por elementos muy concretos, como la historia personal, sentimientos profundos, raíces culturales y las tradiciones familiares. Estos importantes elementos a veces no los tenemos en cuenta con relación al trabajo porque creemos que hay otros problemas más importantes, como el éxito, los ascensos, un mejor salario, el prestigio y los ideales. En el caso de esta persona, disfrutar de la comida a la que estaba acostumbrado fue la clave para volver a trabajar con entusiasmo.

Recuerdo que a Rebecca, una paciente mía que vino a verme porque se quejaba de no poder encontrar el trabajo adecuado, también le ocurrió algo parecido. Cambiaba de un trabajo a otro sin conseguir establecerse en la vida. Deseaba encontrar la pareja ideal y formar una familia, pero su sueño parecía que no iba a cumplirse nunca. Era una mujer muy lista y competente, acostumbrada a ocupar una posición de liderazgo y a sacar adelante las cosas.

Un día mientras conversábamos sobre un sueño, salió el tema de la comida. Rebecca se puso a hablar con entusiasmo, algo muy inusual en ella, de la comida judía con la que había crecido y de lo mucho que hacía que no saboreaba aquellos maravillosos platos. Le pregunté por qué no cocinaba esta clase de comida y me respondió que no tenía tiempo para preparar platos elaborados y que de todos modos su madre era la que sabía cómo prepararlos y que ellas dos apenas se veían.

Le sugerí que contactara con su madre para que le diera las recetas y que se reservara un tiempo para cocinar. A Rebecca le resultó más fácil hablar con su madre de comida que de temas más «personales» y, de hecho, su madre se alegró de que su hija le pidiera esta clase de ayuda. El tema de la comida las acabó uniendo y al cabo de poco la relación que mantenían mejoró.

Parece un cuento de hadas, pero al final esta mujer se dedicó a una profesión totalmente distinta, conoció a alguien con quien pudo mantener una verdadera relación y tuvo hijos. Siempre me pareció que la comida judía fue la solución para su desesperada crisis laboral. Aunque como es natural, en cuanto se casó y tuvo hijos empezó una nueva alquimia en su vida, con sus propios retos y altibajos.

Conectar con lo más profundo de tu ser es más concreto y sencillo de lo que parece. Puedes volver a visitar los lugares de tu infancia o los familiares a los que no ves desde hace mucho tiempo. Contemplar las imágenes familiares desde otra perspectiva y escuchar las historias del pasado puede hacer vibrar tu corazón y activar el proceso de volver a conectar con lo más profundo de tu ser.

Muchas personas están desconectadas de la cultura en la que crecieron. Se sienten siempre como extrañas en ella, sensación que puede ser angustiante y llegar a interferir en la carrera laboral. Quizás hayan de pagar el precio de sentirse desarraigadas para poder recibir las recompensas que la nueva vida les ofrece, aunque en el fondo no se sientan nunca a gusto con ella.

Los demás quizá te digan que te adaptes y asimiles la situación, que te olvides del pasado y te centres en la nueva sociedad que has adoptado. Tal vez has dejado un país, una región o una ciudad para ir a vivir a otra parte. Puede que tengas un problema con el idioma y con las diferencias culturales. En algunos lugares cambiar simplemente de ciudad ya produce un impacto cultural.

La mejor solución en este caso es hacer varias cosas a la vez. Puedes aprender cosas de tu nuevo mundo y llegar a conocerlo incluso más a fondo que la gente del lugar. Adoptar las formas de actuar y los hábitos lingüísticos de tu nueva sociedad y hacer un esfuerzo para integrarte en ella. Al mismo tiempo, también puedes alimentar tus raíces, manteniéndote en contacto con los amigos y los parientes y conservando los rituales de las celebraciones y las comidas. No es más que una cuestión de ver lo importantes que son las emociones profundas y los recuerdos para conservar tus raíces y apoyar las aventuras más llenas de vida que emprendas en el mundo. El progreso de tu carrera profesional puede depender de lo rica que sea tu vida en el hogar y de lo fiel que seas a tu pasado.

Volviendo a la historia del rapónchigo y las raíces, el hecho de encontrar y conservar una profesión puede que te mantenga encerrado en una torre metafórica, elevado y alejado de tus raíces familiares y culturales. Quizá pienses erróneamente que debes poner toda tu energía en buscar de manera activa una carrera laboral sin ver que tu trabajo también necesita el alimento y el apoyo de las raíces de tus orígenes. Y el cultivo de la «base de tu ser» también debe ser concreto y no sólo soñador e intelectual.

SENTIMIENTOS PROFUNDOS

Sentir algo intensamente no es lo mismo que sentirlo profundamente. Puedes estar tan furioso que apenas seas capaz de conservar tu trabajo e ignorar al mismo tiempo cuál es la causa de tu ira. O tu ira puede ser simplemente una forma de descargar tu insatisfacción. Por el momento te sentirás bien, pero normalmente con esta actitud no conseguirás nada e incluso puede ser destructiva. Y tendrás que repetirla, porque es ineficaz. Al descargar tu ira puedes perder un trabajo y estropear relaciones importantes. Por suerte, tienes otras alternativas.

Si reflexionas sobre tu ira descubrirás que la situación presente no es la que la causa por completo. Puede que hayas sido en el pasado objeto de una injusticia y que proyectes la ira que te causó en el presente, aumentándola y haciendo que te resulte difícil afrontarla. Quizá descubras que las raíces de tu ira se encuentran en el pasado, tal vez en tu familia y posiblemente en la cultura en la que creciste. Puede que estés enojado con los blancos, los negros, los judíos, los italianos, los asiáticos, los irlandeses, los católicos, los policías, los empleados de Hacienda o los bibliotecarios. Puedes estar enojado con cualquier grupo y proyectar la ira que sientes en tu vida actual. Debes reflexionar en estos prejuicios y esta intolerancia. Y afrontarlos.

Otra causa de ira crónica que afecta al trabajo es el hábito de sentirte siempre como una víctima o, como mínimo, el de someterte excesivamente a la autoridad de un jefe. Cada interacción implica algún intercambio de poder. Normalmente las luchas de poder son ligeras y relativamente equilibradas. Pero en el trabajo hay muchas estructuras que te obligan a estar sometido a la autoridad de un jefe y esta situación puede hacer que la ira que sientes se vaya acumulando con el tiempo.

Para llegar a la raíz de esta clase de problema, que está muy extendido, debes examinarte y advertir qué hábito lo ha causado: ¿eres una persona sumisa o te gusta el poder? Si estas tendencias son moderadas, no causan ningún problema, pero pocas veces lo son. Algunas personas se someten con demasiada facilidad y en exceso, y otras en cambio disfrutan demasiado de su poder a la menor ocasión.

Ambas tendencias tienen sus raíces y si exploras tu historia emocional, descubrirás pistas que te indican cómo adquiriste estos hábitos. Si te analizas e intentas conocerte mejor, puedes llegar a cambiarlos. Sin embargo, si te ves incapaz de afrontarlos solo, significa que eres el candidato perfecto para recurrir a un buen psicólogo o a una terapia.

El intenso ambiente competitivo que reina en las empresas y en el lugar de trabajo crea fuertes emociones que pueden ignorarse, encubrirse o hacerlas pasar por lo que no son para que desde fuera parezca que todo va bien. Los estudios recientes demuestran que en las empresas hay muchos deseos de venganza y mucha envidia oculta, y también que los directores ejecutivos se hacen la vida imposible unos a otros por despidos y negocios turbios. El ambiente en el trabajo puede estar lleno de emociones negativas encubiertas, dando la ilusión de que reina una atmósfera de paz y armonía cuando en realidad todo el mundo sabe la negatividad que hay. Esta intensidad emocional, oscura y oculta, no sólo afecta negativamente a la empresa, sino que también confunde y desanima a los trabajadores que se están intentando labrar una carrera y encontrar su vocación. Brian observa que los círculos docentes tienden a ser demasiado pomposos, quizá por las elevadas metas que se han fijado. Se siente manipulado por una institución dedicada al conocimiento que, sin embargo, es insensible a las necesidades de quienes desean dedicarse a la enseñanza. Utilizan grandes palabras e ideas, pero no las ponen en práctica con acciones sinceras. De nuevo, el retorcido lenguaje que emplea oculta los problemas reales que tiene y dificulta el poder afrontar sus verdaderas emociones.

Cuando a Millard Drexler le obligaron a dejar su cargo de director ejecutivo en Gap Inc., creó Madewell, una nueva compañía dedicada a la venta de tejanos, suéters y accesorios de gran calidad a un precio más bajo de lo habitual. Afirma que no lo hizo por venganza sino que su «ira le estimula ahora a alcanzar unos grandes logros».[1] El deseo de venganza es una clase de ira que puede descargarse en una actitud de ojo por ojo, diente por diente, que refleja la violencia política justificada como represalias. Pero sabemos por los políticos que esta clase de venganza no ayuda a nadie y acaba siendo trágica. Tanto la ira como el deseo de venganza pueden transformarse en acciones muy creativas que son en su mayor parte constructivas. A Drexler le acusaron de vengarse, pero quizá lo que dice en su defensa sea correcto. La ira que sentía le incitó a ser creativo.

Si estás intentando encontrar tu vocación pero acarreas una profunda ira oculta, sólo actuará en tu contra a no ser que la sometas a un proceso alquímico y la transformes en una energía constructiva. La ira puede transmutarse en determinación, fuerza interior, agudeza mental, una presencia eficaz, decisiones claras y creatividad sólida. La ira puede ser muy destructiva o inmensamente útil.

Tanto en mi amigo Scottie como en Brian percibo una cierta ira que aún no han reconocido, aceptado ni transmutado por completo. Se encuentra todavía en la ineficaz etapa de las quejas, una forma que no es demasiado productiva que digamos. Todas estas quejas podrían transformarse en fuerza interior, en una ira que fomenta los logros y la eficacia personal. La mayor parte de la gente que está intentando encontrar su vocación se beneficiará si transmuta su ira en las cualidades eficaces de la firmeza, una dirección en la vida y la lucidez.

Los historiadores de la religión utilizan una palabra muy poco corriente para describir los dioses y los espíritus de la tierra: ctónicos. Entre los dioses ctónicos se encuentra Marte, el dios de la ira y la guerra, que también se veneraba como el espíritu de la naturaleza, la fertilidad y la fuerza. El rapónchigo también es una hortaliza ctónica que crece en la tierra y representa las emociones profundas y difíciles.

A una persona pueden tildarla de ctónica cuando emplea un lenguaje y un estilo directos, y deja que su ira actúe eficazmente en su vida y que su yo oculto se manifieste. La diosa Perséfone, la reina del Inframundo, fue venerada como una diosa de la tierra o ctónica. En su papel como reina del Inframundo era aterradora e implacable y, al mismo tiempo, compasiva. A veces se dice que los cuentos de hadas son versiones posteriores de la mitología. Podemos imaginarnos a Perséfone como la hechicera del cuento de Rapunzel, un espíritu que custodia tanto el fruto enterrado en la tierra (la granada de Perséfone) como a las jóvenes (Perséfone era sólo una adolescente cuando se convirtió en reina).

Hay una clase de creatividad soleada y brillante que desea alcanzar las estrellas, pero también hay otra, igual de fructífera, oscura y profunda, más oculta que visible, que está motivada a veces por la ira y la envidia. Esta profunda fuente del espíritu creativo es difícil de expresar en nuestro mundo porque nos cuesta apreciar las cualidades positivas de las emociones oscuras. Pero nos dan profundidad, fuerza de carácter y sinceridad y contrarrestan cualquier tendencia a ser sentimentales e ingenuos.

PRIMEROS AUXILIOS PARA LOS QUE VIVEN EN UNA TORRE DE MARFIL

Muchas personas que viven en una torre —propietarios, jefes, directores ejecutivos— son felices en el trabajo porque saben cuidar de su alma. Pasan un tiempo con la familia, los hijos y sus mascotas e incluso participan regularmente en retiros para hacer un balance de su vida. Pero otras en cambio muestran su poca profundidad en la superficialidad de sus gustos, valores e intereses y en síntomas más serios como el alcoholismo, la depresión y una conducta pasivo-agresiva con sus empleados.

¿Cómo una persona corriente con éxito adquiere la profundidad de carácter necesaria? Algunas lo hacen al sufrir una tragedia, una desgracia o una enfermedad. De pronto descubren aquello que es realmente importante en su vida. Otras tienen un misterioso despertar. De súbito ven que su vida no tiene ningún sentido y deciden darle la vuelta. Pero si alguien que deseara adquirir una cierta profundidad en su vida quisiera una estrategia para alcanzarlo, ¿qué podría hacer?

La profundidad de carácter procede de reconocer tu complejidad. Si eres ambicioso en el trabajo, puedes aceptar esta cualidad y reconocer que la tienes a las personas que te rodean. La superficialidad puede empañar nuestra vida cuando intentamos dar una imagen falsa ocultando nuestras verdaderas intenciones y emociones. En el trabajo siempre hay alguna motivación oscura: el dinero, la sexualidad, la insensibilidad, la necesidad de dominio. Cuando reconocemos estas emociones en nosotros, son menos destructivas que si las ocultáramos, y además intensifican y profundizan la imagen que damos a los demás.

Una profunda visión de la vida también procede de apreciar los misterios que te rodean. El amor, la ira, la competitividad, la codicia... son emociones que van y vienen en todos nosotros en cierto grado y que están llenas de misterio. ¿De dónde vienen? ¿Qué es lo que quieren de nosotros? Puedes reflexionar en estas experiencias y mantener conversaciones enriquecedoras con los amigos de confianza. A menudo las conversaciones son superficiales, pero puedes hacer que sean más profundas sacando a relucir los complejos y difíciles temas relacionados con las emociones, los valores éticos y el sentido de la vida.

Estar atento a tus sueños también te hace adquirir el hábito de reflexionar sobre temas más profundos. Mientras jugaba a tenis con un amigo, de pronto él me dijo: «Ayer por la noche soñé con mi mujer. En el sueño estaba muy enferma y desmejorada. Yo no sabía qué hacer y sentí que mi vida se derrumbaba». Mi amigo no me había contado antes ningún sueño, pero aquella vez, en medio de la pista de tenis, decidió contármelo. Yo no sabía qué pensar del sueño: ¿era sobre su mujer? ¿Sobre su propia vida? Pero podíamos hablar de él brevemente. Sentí que al habérmelo contado se establecía un nuevo nivel de amistad entre nosotros y seguimos hablando del sueño en varias ocasiones.

Los sueños traducen parte del misterio de la vida cotidiana y las obras de arte, de muchas formas parecidas a los sueños, también nos dan el placer que produce la belleza y sacan a relucir temas serios. Mi esposa, una excelente artista, crea a menudo «arte público»: unas imágenes artísticas presentadas de forma pública, haciendo normalmente que la comunidad participe en ellas. En una ocasión dirigió en una pequeña ciudad de Nueva Hampshire a los alumnos de un instituto en un proyecto en el que varios de ellos dibujaron las figuras de sus cuerpos adoptando posturas de yoga en una pared vacía de la calle principal. Después rellenaron las interesantes figuras de sus cuerpos con una mezcla de barro y arcilla. Los jóvenes meditaron antes y después de crearlas y fueron la atracción de los transeúntes que pasaban por el lugar.

La gente al ver aquellas grandes imágenes de arcilla en una postura meditativa en la pared de una pequeña y tranquila ciudad se quedaba intrigada y hacía un montón de preguntas a los jóvenes que las estaban creando. ¿Puede el arte ser una forma seria de vivir? ¿Contribuye de manera importante a la sociedad? Los jóvenes que hacían esta clase de arte público a una edad temprana, ¿se estaban preparando para una profesión o no era más que un pasatiempo? El arte público nos ayuda a ver el papel del arte en la sociedad y el lugar que ocupa como parte de una vocación.

Otras formas de profundizar en nuestro ser se inspiran en prácticas religiosas tradicionales que no necesitan ejecutarse de una manera religiosa formal. Hacer un retiro, por ejemplo, es el modo en que los monjes profundizan sus ya meditabundas vidas. Pero conozco a personas de toda clase de profesiones que se reservan unos días, normalmente una vez al año, para reflexionar. Van a un espacio natural, un monasterio o un *ashram* para hacer un retiro, o se quedan simplemente en casa durante unos días y se renuevan apartándose del rápido ritmo de la vida. Las compañías a veces organizan «retiros» para sus empleados. Los retiros en los que he participado fueron valiosos porque los empleados podían desconectar del trabajo y conocerse mejor entre ellos sin tener que conversar de negocios. Pero estos retiros a menudo no fomentan las prácticas para profundizar en nuestro interior, ya que podrían incluir periodos de silencio o al menos conciertos de música en vivo que fomenten la reflexión, e incluso proyectos de arte y sesiones para hablar de los aspectos más personales y significativos de las actividades de la compañía y del lugar de trabajo. En el retiro también se podría incluir algunas charlas ofrecidas por líderes expertos en psicología y espiritualidad.

La vida se vuelve más profunda cuando afrontas las emociones y las relaciones de una manera más sofisticada. Muchas personas creen que esta parte de la vida es algo natural y que puede seguir siendo inconsciente y automática. Pero todos necesitamos aprender más sobre estas áreas, ya que son siempre sutiles y complejas. Recuerdo que cuando me convertí en psicoterapeuta creía tener una buena formación a mis espaldas y un buen bagaje procedente del estudio y la lectura. Pero descubrí rápidamente que debía aprender a ejercer mi profesión afrontando mis propias emociones, el pasado y mis relaciones. Consideré esta clase especial de aprendizaje más bien como una iniciación a través de mis errores y mis dolorosos descubrimientos que el simple hecho de aprender unas ideas. Lo que aprendía haciendo terapia lo aplicaba a mi vida y luego le daba la vuelta a estas lecciones y las aplicaba en mi trabajo. Sospecho que todos tenemos que profundizar la vida emocional de esta forma: afrontando lo que hay en nuestro interior. También puedes profundizar dentro de ti manteniéndote en contacto con tu pasado, ya sea tu pasado personal o tu historia cultural. El pasado te ofrece muchas lecciones sobre cómo afrontar los retos de la vida o cómo evitarlos. Al estudiar el pasado estás considerando el presente y profundizando en la sensación que tienes de quién eres y de dónde vives. Visitar lugares históricos estimula tus emociones y tu imaginación, y estimularlas es un aspecto importante para profundizar en tu interior. Demuestra que estás pasando de un nivel de conciencia a otro.

Todos estos métodos de profundización son eficaces si tienes la suficiente imaginación para ello. Debes valorar el vivir desde un centro más profundo de tu ser y gozar de los beneficios de las relaciones y los placeres más profundos. Debes sentir que profundizar en tu interior vale la pena, desearlo y valorarlo.

Con relación al tema principal, el descubrir tu verdadera vocación, estas formas de profundizar en tu interior te ayudan a aprovechar tus recursos. Una vocación no es lo mismo que un buen trabajo o que una larga carrera. Quizá no surja de un éxito exterior. Una vocación es la revelación de tu yo único, forjado y manifestado a través de lo que haces. Si no excavas dentro de ti lo bastante hondo ni ves el mundo que te rodea con agudeza, te parecerá que tu vocación nunca se acaba de revelar. Pero si vives desde un lugar profundo, florecerá como una flor.

Hemos visto dos problemas muy distintos que nos impiden descubrir cuál es nuestra vocación: estar inmersos en la confusión y sentirnos atrapados en el éxito. En cualquier caso, necesitamos concentrarnos a fondo en desarrollar nuestro carácter y en cultivar una vida con alma. La confusión de una vida sin forma debe transformarse en una forma con la que podamos vivir, y el vacío éxito exterior carente de corazón debe recuperar el alma. Durante siglos los escritores han afirmado que una de las tareas más importantes es cuidar del alma, crear una personalidad, una vida y una sociedad en la que los valores del alma —la belleza, la intimidad, la creatividad y la individualidad— puedan florecer. En el siguiente capítulo te mostraré cómo continuar esta búsqueda.

7

El cuidado del alma en el trabajo

El trabajo es una especie de viaje hacia la autosuperación.

LOUISE BOURGEOIS

Marianne, una mujer de veintitantos años, vino a verme para que la ayudara con su vida. Bueno, más que venir fue su tía, que se preocupaba mucho por ella, la que me la trajo. Marianne presentaba un aspecto terrible. Tenía la piel desvitalizada y pálida, y los ojos enrojecidos y llorosos. Apenas abrió la boca y cuando lo hizo fue para hablar en susurros. Mientras lo hacía no dejó de rascarse nerviosamente los brazos.

Como aquella joven apenas hablaba y en un principio no quería venir a verme, yo sabía que no me iba a resultar fácil ayudarla. Pero abordé la situación con una cierta esperanza. Al principio sólo le di a entender que comprendía la difícil situación por la que atravesaba y que era consciente de su sufrimiento. Al cabo de varias semanas Marianne empezó a relajarse.

No era feliz en su matrimonio y quería separarse de su marido, pero dependía económicamente de él. No sabía lo que quería hacer con su vida y en el estado de extrema depresión en el que se encontraba no podía imaginarse haciendo nada. Pero la animé a que me contara la historia de su vida: sobre sus padres, su pasado, su matrimonio y sus sueños. Un día Marianne mencionó la carrera de Medicina. Admitió que en su fuero interior siempre había deseado ser doctora. Pero creía que a su edad ya era demasiado tarde para hacer esta larga y difícil carrera. Le faltaba poco para cumplir los treinta. Al mencionarme lo de la carrera de Medicina vi que le brillaban los ojos por primera vez y decidí explorar la idea, para ver adónde nos llevaba.

Los problemas de su pasado estaban relacionados con la religión en la que había crecido, ya que su familia la había practicado de manera muy estricta, aunque la comunidad eclesial a la que pertenecía aún lo había sido más, y de niña había sido víctima de abusos emocionales y físicos en ella. Su marido pertenecía a aquella comunidad y tendía a dominarla y controlarla.

Al final, después de haber conversado con ella en las sesiones de terapia durante más de un año, un espacio de tiempo en el que empezó a pensar positivamente en su futuro, Marianne decidió dejar a su marido y se inscribió en la Facultad de Medicina. Con la beca que le concedieron, basada en las buenas notas que había sacado en el instituto, y con el apoyo económico de su tía, consiguió hacer los cuatro años de la carrera de Medicina y luego las prácticas como interna. Durante aquellos años cuidó de su salud y se interesó por su casa, los amigos e incluso la ropa. Despertó a su nueva vida. Al principio no le resultó fácil dedicarse a estudiar durante tantos años. Pero en la actualidad es una brillante investigadora en el campo de la medicina a la que le apasiona su trabajo y que está feliz con su nuevo marido y sus hijos. Ahora es difícil imaginar el estado en que se encontraba cuando vino a verme por primera vez.

Una vocación a veces aparece como una débil luz en la oscura niebla de los problemas. Tienes que concentrarte en ella, confiar en esta luz y dejar que te lleve al futuro. Solemos buscar grandes e importantes soluciones a nuestros problemas cuando la respuesta puede surgir en forma de un pequeño rayo de luz. A los terapeutas les han formado para percibir este débil y prometedor fulgor, pero cualquiera puede aprender a reconocerlo y oírlo.

La increíble historia de Marianne destaca del resto porque la mayoría progresamos poco a poco hacia nuestra vocación. Marianne me enseñó lo importante que es cuidar de tu alma cuando te sientes desesperado y agobiado por los problemas de tu vida. Poco a poco ella empezó a hacer los cambios necesarios en su vida, permitiéndose alcanzar sus sueños, ocupándose de su hogar y de su aspecto físico, y viendo la posibilidad de dedicarse a una nueva y excitante vocación.

Aunque Marianne recurriera a las sesiones de psicoterapia, lo que hizo con su vida se puede llamar el cuidado del alma. La palabra *psicoterapia* al traducirla directamente del griego significa en realidad «el cuidado del alma». (*Terapia* significa «enfermera» o «cuidadora» y *psico* significa «alma».) En este sentido de la palabra, un poco de psicoterapia en los aspectos más personales de tu vida puede hacer que tu vocación acabe revelándose.

Marianne no cambió de un día para otro. De manera lenta y paulatina fue liberándose de su infeliz matrimonio y de las malas influencias. Sólo entonces pudo centrarse en su vida, configurándola y diseñándola del modo que quería. Empezó dando pequeños pasos: pasando un tiempo con las amigas que la apoyaban en lugar de criticarla e intentar convertirla a sus ideas. Como le gustaba la música folclórica, se divirtió yendo con sus amigas a los clubs y cafés que le gustaban. Durante un tiempo evitó salir con ningún hombre, antes quería ocuparse de su vida y volver a crearse a sí misma. Uno de los retos más importantes de Marianne era la religión. Había crecido influida por la comunidad de la iglesia de una pequeña ciudad y sus enseñanzas religiosas habían calado muy hondo en ella. Pero al examinar su vida y decidir mejorarla, comprendió que podía seguir conservando su religión sin tener que pertenecer a la iglesia en la que había crecido. Aunque fue bastante difícil emocionalmente para ella, logró desvincularse de aquella iglesia y empezó a leer libros que la apoyaban como mujer y como persona responsable. El proceso de volver a crear su vida espiritual le entusiasmó.

He puesto a Marianne como modelo a seguir en el cuidado del alma porque hizo una labor radical en este sentido. Realmente se reinventó a sí misma. Por supuesto su personalidad básica sigue siendo la misma y ella continúa trabajando con los elementos de su pasado, pero ahora los afronta como una nueva persona. Muchos familiares y amigos se asombraron al ver el cambio que había experimentado. Para la mayoría de ellos fue un cambio positivo, sólo algunos se escandalizaron.

Aunque el cuidado del alma no sea una práctica tan focalizada como la terapia y la orientación psicológica, requiere un continuo trabajo. Te entregas al desarrollo de tu *opus* y das una serie de pasos para que tu vida sea rica, clara y satisfactoria. Diagnosticas los problemas que tienes y efectúas cambios para que tu espíritu pueda brillar y tu alma encuentre su lugar en el mundo, como descubrir un trabajo que te llene.

Cuando te agobie algún problema relacionado con el trabajo, aunque para solucionarlo sientas la tentación de concentrarte sólo en él y en tu carrera profesional, es mejor que intentes poner en orden tu vida, o al menos que te ocupes de tus relaciones y emociones, y de cualquier aspecto de la vida cotidiana que te esté causando problemas. La «psicoterapia» que te apliques puede ser formal o informal, profesional o personal, pero te ayudará a despejar el camino para que tu vocación se manifieste.

CONVIRTIÉNDOTE EN TÚ MISMO

Una vocación es un acto creativo. Te apoya en un mundo que quizá se opone a tus esfuerzos. No es necesario que seas prepotente o agresivo, pero debes ser fiel a ti mismo y esta lealtad requiere a menudo ser asertivo. Pero ante todo para poder insistir en tu propia visión has de ser alguien. Debes cultivar tus propias ideas y tu estilo de trabajar. Mientras sigues con la aventura de buscar un trabajo que te llene, también debes ocuparte de todos los aspectos de tu vida personal: el hogar, la familia, las relaciones, las aficiones y el servicio a los demás. Cuanto más rica sea tu vida y tu personalidad, más peso y fuerza tendrá tu búsqueda de un trabajo o de una carrera.

Muchas de las personas que me escriben para que las aconseje, se quejan de que en el trabajo las mangonean, se aprovechan de ellas o les dan un cargo que está por debajo de sus posibilidades. Citan a compañeros de trabajo o a jefes que las maltratan. En estas situaciones veo víctimas y un sentimiento de impotencia, signos de, como mínimo, una forma ligera de sadomasoquismo. Yo les podría decir que intentaran ser más fuertes, pero sus esfuerzos probablemente no les servirían de nada. No puedes sacar fuerza interior de donde no la hay. A la larga es mejor que cultiven todos los aspectos de su vida, que se conviertan en unas personas más ricas interiormente y que lleven una vida más sustancial. Sólo así tendrán la fuerza interior necesaria al buscar un trabajo que les llene o al seguir con el actual.

Al principio hemos visto que reflexionar sobre el pasado es un buen primer paso para el *opus* del alma: apartas los obstáculos para ver tu futuro. La siguiente fase puede ser un esfuerzo por cuidar de tu alma y aquí vuelve a entrar en juego el pasado, pero de distinta forma. Ahora vuelves a visitarlo, pero no lo haces para descubrir las raíces de tu infelicidad, sino para estar preparado como persona para seguir tu vocación. Buscas en él tu identidad, tu fuerza interior y tu cultura.

Muchas personas encuentran una nueva vitalidad y una dirección hacia su vocación al volver a descubrir sus raíces culturales. En una ocasión, después de volver de Italia, me encontré con una vieja amiga cuya familia era de orígenes italianos. «¿Es bonita Italia?», me preguntó dudosa. Yo acababa de ver parte del mejor arte que el mundo tiene para ofrecernos, espacios naturales increíblemente bellos y gente inteligente, hospitalaria y alegre que amaba la vida. Elogié con entusiasmo la maravillosa tierra de su padre y un año más tarde ella decidió ir a visitarla personalmente. Volvió apreciando mucho más sus raíces italianas y me da la impresión de que siguió buscando su vocación con una renovada confianza.

Cuando estás inmerso en la confusión quizá te sientas agobiado por tu pasado y por las personas que te hicieron la vida imposible. Pero a medida que la alquimia progresa, puedes trabajar con más energía con el material del pasado, ordenándolo y adquiriendo nuevas percepciones. Poco a poco te vas distanciando de esas dolorosas vivencias y acaban interfiriendo menos en tu vida. Te individualizas. Te conviertes en una persona independiente. Ya no eres una copia de los valores familiares. Tienes amigos y amantes, pero no te pierdes a ti mismo en estas relaciones. Descubres tu vocación y tu identidad.

Afrontar el pasado es básicamente un proceso en dos partes: primero aceptas tu experiencia, contando las historias de tu vida de la forma más abierta y completa posible, y después sigues avanzando, libre del dominio del pasado, hacia el futuro que creas. No niegas el pasado ni intentas liberarte por completo de él, pero tampoco te preocupa tanto que te resulta imposible empezar una nueva vida.

De vez en cuando Marianne me pide una hora de consulta para afrontar los restos de su historia personal que aún la siguen importunando. Analiza sus sueños y las historias de su vida para descubrir más cosas de sí misma. En su vida siempre hay materia prima para ordenar y utilizar para el presente y el futuro. Pero ahora esta tarea es menos urgente.

Uno de los temas principales de Marianne es la pasividad y la agresividad. Ella vino a verme sintiéndose totalmente controlada por su familia, su comunidad y su esposo. Su tía era una importante excepción. Para poder hacer un cambio tan fundamental en su vida Marianne tuvo que cambiar por completo aquella ecuación de poder. Tuvo que encontrar, a través de su frustración y su determinación, la fuerza interior necesaria para empezar una nueva vida, a pesar de la gran presión de quienes la rodeaban para que siguiera siendo una mujer dócil.

Ser una persona única requiere fuerza interior. Debes dar pasos que algunos pueden interpretar como ofensivamente agresivos. Yo lo advertí de una forma asombrosa en

Marianne: vino a verme siendo una mujer pasiva y tímida, pero con el tiempo sacó una gran fuerza interior. Al final demostró ser una mujer de una extraordinaria pasión y fuerza. De pequeña la habían obligado a reprimir toda aquella agresividad positiva y cuando vino a verme estaba oculta en su interior. La fuerza de carácter y la pasividad actúan como un columpio. Cuando una de ellas pesa mucho más que la otra, en lugar de acercarse se alejan más entre sí. En un instante manifiestas tu fuerza, normalmente con eficacia, y al siguiente eres víctima de alguna agresión emocional. Pero al equilibrarlas la fuerza de carácter se convierte en eficacia personal y en creatividad. Y la pasividad se transforma en una vulnerabilidad positiva y útil. En ese caso ambas son como el yin y el yang, envolviéndose e influyéndose mutuamente. Tu debilidad gana fuerza y tu fuerza gana flexibilidad.

La mayoría de personas que conozco con problemas para encontrar su vocación son de algún modo pasivas. Esperan a que algo bueno les pase en la vida en lugar de dar pasos importantes y positivos para conseguirlo. La agresividad surge más tarde en forma de quejas, pero entonces ya no es eficaz.

No es necesario que la agresividad llegue al extremo de la violencia o la manipulación. Puede ser una forma elegante y constructiva de conseguir lo que te propones. El simple hecho de darte a conocer en el trabajo o en un negocio ya conlleva una ligera agresividad positiva. Mostrar tu personalidad y presentar tus ideas son actos agresivos si se realizan positivamente y no de manera resignada. Para descubrir el trabajo que estás destinado a hacer en la vida debes esforzarte y esta fuerza interior a su vez depende de confiar en ti mismo y ser fiel a tu visión.

Al intentar descubrir cuál es tu vocación, al principio debes reflexionar sobre el pasado para encontrar los elementos que te quitan energía y los que te dan ideas nuevas. Ahora que ya has iniciado esta aventura, intentas encontrar elementos de tu pasado que te llenen. Unes las partes de tu vida, una meta tan válida como cualquier otra en la psicoterapia, y vives de una forma menos fragmentada.

UN ESTILO DE VIDA CON ALMA

La psicoterapia personal e informal que te aconsejo seguir para descubrir cuál es tu vocación es llevar un estilo de vida con alma. Lo cual significa vivir desde un profundo lugar y reservarte un tiempo para ocuparte de tu familia, tu hogar y tus amistades. Significa ser una persona auténtica en tu trabajo y sentirte conectado con él.

La psicoterapia como «cuidado del alma» no significa ser instrospectivo todo el tiempo, pero requiere que realices tu trabajo y te ocupes de tu vida hogareña cuidadosamente, guiándote por tus propias ideas en lugar de hacer lo que piensa la mayoría de la gente.

Una vida con alma es una vida consciente, responsable y comprometida, estás presente en todo cuanto haces en lugar de vivir como un autómata. Te fijas en las cosas más importantes. Cuidas de tu cuerpo y tu salud. Haces de tu hogar un lugar cómodo, acogedor y bello. Te vas formando a lo largo de tu vida a través de valores éticos e ideas sólidas. El tiempo libre lo dedicas a relajarte, a tener una rica vida social, a divertirte y a hacer deporte. Tu espiritualidad es profunda y al mismo tiempo con visión de futuro, y en tu vida cotidiana incluyes la contemplación, las conversaciones, los rituales y la oración, y todo esto lo haces con un estilo propio.

Con el tiempo, de la matriz de una vida rica y reflexiva se revelará el trabajo de tu vida y encontrarás la forma de convertirlo en una profesión práctica y viable. Si tienes una vida y un hogar con alma, probablemente no te gustará ni tolerarás un lugar de trabajo sin alma. Desearás una profesión que encaje con la sensación que tienes de ti mismo: tus valores, esperanzas, estilo y profundas necesidades. Al decir *estilo* me refiero a tu forma particular de hacer las cosas, de verlas, de llevarlas a cabo y de diseñar tu vida.

Para mí cultivar una vida rica y reflexiva es una forma más amplia de terapia o de cuidar el alma. Al llevar esta clase de cuidadosa existencia, no te limitas a afrontar las crisis y los asuntos urgentes cuando aparecen, sino que desde el principio eres una persona estable y reflexiva. Tu vida laboral tiene un contexto y se alimenta con tu forma de organizar tu vida en cualquier otra área. Tu trabajo es coherente con quién eres y con aquello en lo que crees. Expresa tu yo privado, que en este caso no está separado de tu yo en el trabajo.

Llevar una vida menos fragmentada y al mismo tiempo más multifacética te ayuda a tomar decisiones apropiadas sobre el trabajo y la carrera profesional, y esto es muy positivo, ya que a lo largo de tu vida laboral deberás tomar decisiones acertadas. En cambio, al sentirte fragmentado no tendrás la estabilidad ni la confianza necesarias para tomar decisiones y realizar tu trabajo como es debido. Al sentirte dividido, te preguntarás nerviosamente qué debes hacer a continuación y no sabrás qué dirección tomar. Pero si te sientes a gusto con las distintas dimensiones de tu vida y las has dejado madurar, estarás preparado para tomar las decisiones que mantienen la dinámica del trabajo de tu vida.

Tom, mi vecino, se ha creado un bello hogar, cultiva las amistades, colabora en su comunidad y se ocupa de sus perros. Es una persona innovadora y por eso estas actividades no son superficiales. Representan una vida cultivada y Tom es capaz de arriesgarse en su carrera profesional gracias al hogar enriquecedor y estable que se ha creado. A propósito, vivir con mascotas hace que tu vida tenga más alma al limitar tus actividades —tienes que sacarlas a pasear y darles de comer cada día—, e imprimirle el elegante ritmo natural que tanto les gusta a los animales.

La vida cultivada que te estoy sugiriendo no es previsible ni aburrida, sino una forma civilizada de vivir. La cortesía puede volverse superficial, pero también sirve a las necesidades humanas básicas. Ser cordial y amable con tus vecinos te ayuda en gran medida a vivir sin ansiedad, ya que recibes su apoyo y su compañerismo. Tu ciudad o pueblo se convierte entonces en un lugar agradable al que le coges cariño. El cariño es una gran virtud en la vida del alma.

Un estilo de vida civilizado surge de apreciar los gestos, el lenguaje y una visión del mundo positiva. La otra alternativa es un estilo de vida distante, ansioso y frenético que sólo genera desasosiego y problemas. La cortesía puede convertirse en tu segunda naturaleza y es posible cultivarla de una forma seria y constante, dándole la importancia que se merece y dejando que le aporte calidez y calma a tus experiencias.

A veces nos imaginamos nuestra vocación como una serie de pruebas y tests, como la heroica labor de matar dragones y enfrentarnos a monstruos. Por eso nos agobiamos y desanimamos con tanta facilidad. El cultivo de la cortesía es un remedio para esta clase de negatividad: genera una actitud positiva y constructiva y nos permite resolver los problemas con ingenio en lugar de echarle la culpa a otros y maldecir a la vida por sus retos. La cortesía nos produce una sensación general de calma, al menos la suficiente para afrontar los problemas con una actitud positiva.

Aunque esto no quiere decir que quiera dar una visión sentimental de una vida civilizada. En ella hay un espacio para la ira y para una actividad agresiva y crítica. La cortesía requiere autodominio, fuerza interior y un cierto grado de empatía, cualidades que no están presentes en la falta de conciencia habitual en la sociedad. La cortesía surge del amor que sentimos por la vida, de respetar a los demás y de desear hacer todo lo posible por ser constructivos y positivos.

Mi amigo Scottie está demasiado enojado como para ser cortés. Cree estar lidiando una batalla con una sociedad que pasa de él. Pero lo que no ve es que él tampoco demuestra que la sociedad le importe lo más mínimo. Espera a que la sociedad cambie, pero si fuera él quien cambiara y se volviera una persona más cortés su situación podría ser muy distinta. Cree que la sociedad no quiere darle un trabajo, pero si se abriera más a ella podría ver mejor dónde encaja. Puede que entreviera cuál es el trabajo que está destinado a hacer en la vida.

LA VOCACIÓN DE GOLFISTA

Un área que la gente cuida y mima mucho es la de los deportes. El juego y el entretenimiento son importantes tanto para el alma como para el cuerpo, y muchos juegos son mucho más profundos de lo que la mayoría de la gente cree. Incluso los deportes con espectadores juegan un importante papel al ayudar a los que los contemplan a ordenar sus propias emociones y recuerdos sobre el triunfo y el fracaso.

Los atletas profesionales, con sus increíbles dotes, talentos y aptitudes físicas, tienen sin duda vocación para los deportes. Pero la mayoría disfrutamos de los deportes como parte de la vida. Quizá nos apasionen el golf, el tenis o la natación y los califiquemos como un mero ejercicio o afición, pero los deportes pueden formar parte de la labor que estás destinado a hacer en la vida.

Los deportes son muy simbólicos y en general se sigue en ellos una especie de ritual. Juegas dentro de unos límites relacionados con el tiempo y el espacio: un golfista sabe lo decepcionante que es lanzar la pelota fuera de los límites del campo y un baloncestista conoce la presión a la que lo somete el reloj. Puedes llevar un uniforme especial y usar un lenguaje asociado con el deporte que practicas. Las reglas de los deportes suelen ser largas y complicadas. Y sus aspectos rituales hacen que penetren en nuestra psique, donde anhelamos volver a experimentar el placer y los retos que nos provocan.

La historia de los deportes muestra que en sus lejanos orígenes el profundo significado de los juegos era más evidente. Por ejemplo, el billar era un juego de «obstáculos» que se jugaba en una mesa verde para representar la Tierra verde o el campo donde tiene lugar el juego de la vida. En el golf hay «obstáculos» y se juega en un campo de césped. Los deportes son los juegos de la vida. Al practicarlos vivimos simbólicamente los retos, las derrotas y los éxitos que forman parte del juego más importante de la vida, por eso son importantes a un nivel profundo.

Los deportes nos muestran, entre otras cosas, que el esfuerzo puede ser agradable. También nos hacen ver que el valor que requiere jugar en un campo de fútbol o actuar en la sala de gimnasia es un valor real y un modelo importante para los espectadores que contemplan a los futbolistas o a los gimnastas. Algunos deportes son espectaculares, porque nos muestran cómo vivir y sobre todo cómo afrontar los retos y las adversidades de la vida.

De los estadios a las iglesias o a los templos sólo hay un paso cuando los partidos que tienen lugar en ellos conllevan la práctica de rituales y de la contemplación: miramos las competiciones intensamente absortos. En algunas sociedades la línea que separa los deportes de la religión se ha eliminado al presidir un sacerdote los partidos. Los deportes, al igual que la religión, son distintos del trabajo ordinario con relación al tiempo en el que se practican y al espacio donde tienen lugar, y construimos nuestros estadios y gimnasios no sólo con propósitos prácticos sino también para mantener los deportes separados de la vida cotidiana. Están separados de ella del mismo modo que la religión: se han concebido más bien como un ritual que como una actividad productiva en el sentido literal.

Tanto asistir a eventos deportivos como practicar un deporte forma parte de la labor de tu vida y merecen tu atención e interés. Cuando juegas al golf, no sólo te estás divirtiendo o haciendo ejercicio, sino que también le estás dando a tu alma muchas cosas que necesita: un reto cargado de ritual, una interacción social, el contacto con la naturaleza y un puro juego. Lo que observas y aprendes en el campo de golf puedes aplicarlo al lugar de trabajo y reducir así las barreras que fragmentan tu vida.

Las compañías que ofrecen a sus trabajadores oportunidades para practicar deportes juntos responden a la profunda necesidad de desarrollar una vocación. Unen las piezas de la vida, ofreciendo un modo de contemplar y practicar las virtudes humanas básicas y de crear una comunidad ampliando las formas en que los trabajadores se relacionan entre ellos. Los negocios y los deportes son una útil combinación. Aunque por supuesto los deportes, al igual que cualquier otra cosa, también pueden perder el alma y volverse vacíos. La obsesión por el dinero, la necesidad de vencer, los gastos excesivos... toda esta clase de extremos pueden echar el alma de los deportes y hacer que no sirvan para profundizar nuestra vocación. Pero los deportes en sí son un importante recurso para conectar el desarrollo de la excelencia personal con el éxito en el trabajo.

Ya que la mayor parte de las veces el cuidado del alma tiene lugar en los entornos íntimos de tu vida: el hogar, la familia, el vecindario, la región en la que vives. Esta importante actividad tiene una dimensión más grande, pero con relación al descubrimiento de tu vocación está sobre todo ligada al hogar. Al cuidar de tu alma te ocupas de tus relaciones, tus emociones y tu vida espiritual. Creas las condiciones en las que tu vocación puede progresar. Te ocupas de cualquier fragmentación, lucha inacabada y preocupación emocional que interfiera en tu trabajo. Creas un entorno positivo y tranquilo que te permita trabajar con energía y eficacia en un mundo que constituye todo un desafío.

8

Mantén los pies en el suelo, vuela alto

Siempre dije que podría escribir antes de aprender a leer.

WOODY ALLEN

Ícaro fue uno de aquellos jóvenes a los que les gusta abandonar el suelo y volar por el aire. Un día se le metió en la cabeza volar tan alto como el sol y le pidió a Dédalo, su padre, arquitecto y fabricante de juguetes, que le hiciera unas preciosas alas. Dédalo le construyó un par de elegantes alas con una forma hermosa y muy largas que iban unidas con cera, pero le advirtió que no volara demasiado alto, porque la cera podía derretirse con el sol.

El joven, lleno de espíritu y ambición, no le hizo caso y traspasó los límites que su padre le había fijado. Voló a gran altura por el cielo, se acercó demasiado a los ardientes rayos del sol y, al ablandarse la cera que mantenía unidas las plumas de las alas, cayó al mar.

Algunas personas desarrollan el síndrome de Ícaro en algún momento de su vida, y otras están siempre como él: llenas de deseos, irresponsables de algún modo y ensimismadas en sus ideales. También caen a menudo en depresiones o se estrellan en algún proyecto fallido y acaban desilusionándose. Y entonces oscilan entre grandes ideas y experimentos que fracasan.

El personaje de Ícaro está lleno de aire. Se infla con sus grandes ideas y le cuesta vivir en el mundo real, donde los retos y las consideraciones realistas lo desaniman. Jung se refirió a esta figura de la psique o del espíritu como el *puer aeternus*, la Eterna Juventud. Cualquier hombre o mujer puede estar dominado, al menos por un tiempo, por un exceso de espíritu: demasiado aire en sus velas, demasiada gloria en sus ojos.

El lado positivo de la Eterna Juventud es que puede generar idealismo, inventiva, entusiasmo y el irreprimible deseo de ser creativo. El lado negativo suele ser una actitud poco realista y soñadora. En el fondo se basa a menudo en un apasionado narcisismo: falta de empatía, inseguridad y una imagen prepotente de uno mismo. Cuando la personalidad de alguien está dominada por este joven espíritu, mucha gente lo tacha de irresponsable. En las relaciones, el Niño Eterno es famoso por ser incapaz de «comprometerse». No puede conservar un empleo y pocas veces alcanza sus ideales. Se le ocurre un proyecto tras otro, pero raramente termina alguno. Lucha contra el tiempo y es bueno iniciando proyectos, pero no terminándolos.

Un escritor con este perfil quizá tenga una caja llena de proyectos a medio empezar o una lista de grandes ideas que nunca llevará a buen término. Un atleta será capaz de lucirse en su actuación, pero incapaz de soportar los entrenos. Un informático puede pasarse horas frente al teclado y dedicar en cambio sólo algunos minutos a cuidar de sus hijos o a ocuparse de su hogar. Los que tienen esta personalidad viven a un ritmo muy rápido y no les gustan los compromisos largos. Disfrutan con la velocidad, ya sea de un coche o de un ordenador.

No estoy diciendo que el espíritu *puer* sólo tenga aspectos negativos, ya que de sus esperanzas y sueños visionarios pueden surgir ideas brillantes. Las vidas de los inventores y los artistas están llenas de luchas para intentar plasmar sus innovadoras ideas en la vida real. Un espíritu joven te mantiene joven y flexible. También puede ser la base de una ferviente espiritualidad. Se puede ver mucha gente de este tipo en las comunidades espirituales, los monasterios y los *ashrams*. En estos lugares el espíritu *puer* se transforma en valores llenos de sensibilidad y en un entregado estilo de vida.

Hace muchos años Ben, un estudiante que acababa de licenciarse y que más tarde se convirtió en un buen amigo mío, vino a verme para que le aconsejara. Era Ícaro personificado. Estaba lleno de ideas nuevas y de grandes ambiciones, pero a la institución académica le molestaba que él no quisiera ajustarse perfectamente a su plan de estudios. Se le ocurrió una idea para su tesis que a mí me pareció excelente: escribir sobre el significado fundamental de la filosofía, pero la universidad se negó a apoyarnos tanto a mí como a él.

Al final Ben se sacó el máster y entonces, para mi sorpresa, empezó la carrera de abogacía. Hizo un buen papel en ella y trabajó como abogado durante una temporada, pero Ícaro seguía probando sus alas y Ben no se sentía libre en aquel mundo. Mantuvo una lucha interior durante un tiempo y luego dejó su trabajo de abogado para ser profesor de vela en el lago Michigan. Siguió interesándose por la filosofía y la psicología profunda, y escribió con gran acierto sobre los aspectos de las leyes que no suelen tenerse en cuenta. Desde que trabaja como profesor de vela, ha escrito varios buenos libros y ha terminado diversos proyectos importantes sobre la psicología profunda.

A Ben el rostro y los ojos siempre le han brillado con el espíritu *puer*, el cual hace que una persona sea atractiva, interesante y excitante. A veces le ha metido en algún problema, como cuando no consiguió que en la universidad aceptaran su maravillosa idea sobre la tesis y cuando intentó ser abogado. Pero con el tiempo encontró una forma eficaz de hacer que su espíritu bajara a tierra sin perderlo: dar clases de vela le ofrece un trabajo realista y a la vez lleno de retos que encaja a la medida en su personalidad: la vela es una clásica actividad *puer*, deslizarse rápidamente impulsado por el viento.

Ben nos muestra a la perfección cómo conectar el espíritu *puer* con la vida real. Se incorpora a unas sólidas instituciones —la universidad, la abogacía y un bufete de abogado— saca de estas experiencias el máximo partido posible y luego crea su propio estilo de vida, el de escritor y profesor de vela, en lo cual tiene éxito y le satisface. El espíritu *puer* no necesita que lo fuercen a vivir la realidad, puede adaptarse a las situaciones del mundo real. Puede hacer que un trabajo por lo general aburrido sea excitante y nos ayude a ver las posibilidades que una imaginación más terrenal no vería.

Cuando el espíritu del joven mítico reside en una persona, ésta puede que no tolere las limitaciones de la elaborada estructura de su lugar de trabajo y que se rebele contra la autoridad. Pero el espíritu *puer* también puede ayudarle a adaptarse y a transformar el trabajo en versiones agradables. Ben se benefició del tiempo que estuvo ejerciendo de abogado, pero ahora disfruta con su trabajo en los Grandes Lagos enseñando a sus alumnos a ser como él, un navegante, alguien que vive dejándose llevar por los cambiantes vientos.

LA FAMA Y EL RECONOCIMIENTO

El deseo de ser famoso puede formar parte del síndrome *puer*, una fijación por la pose y la imagen en lugar de interesarse por el trabajo en sí. En una ocasión, mientras hacía cola para pagar en la caja de un supermercado, vi que justo enfrente de mí había un personaje de la televisión nacional poco importante. La cajera lo reconoció enseguida y empezó a derretirse de excitación. No dejaba de mirarlo extasiada mientras metía erróneamente las compras de un cliente en las bolsas de otro. Su expresión era la que uno esperaría ver en alguien que se hubiera tomado una sobredosis de Valium. En medio de su delirio tenía los ojos llorosos, los labios gelatinosos y el cuello estirado en un éxtasis histriónico. Me miró asintiendo enérgicamente con la cabeza, señalándome a la estrella de la televisión, esperando que yo la reconociera y que me pusiera loco de alegría como ella.

El deseo de ser famoso es la versión *puer* de la meta más alcanzable de ser reconocido por tu trabajo. La mayoría de trabajos tienen un doble aspecto: creas algo u ofreces un servicio y el público o los clientes lo utilizan y aprecian. Es un útil patrón que ayuda a que la sociedad funcione.

No hay nada malo en el deseo de reconocimiento, en el mejor de los casos haces un trabajo bien y eres reconocido por él. Pero en el peor, sigues esperando ser objeto de reconocimiento aunque no hayas hecho nada. A menudo las personas fascinadas por la fama no han tenido la oportunidad de ser reconocidas por su trabajo y se imaginan que para que los demás te aprecien tienes que ser famoso.

Para recibir el reconocimiento que necesitas no tienes que dedicarte a una profesión maravillosa: puedes ser simplemente un as vendiendo zapatos, preparando perritos calientes o instalando lavavajillas. Algún cliente apreciará lo que haces y te lo dirá. Y la satisfacción que esto te produce puede ser una de las razones por las que vas a trabajar cada día, porque todos necesitamos ser objeto de reconocimiento y aprecio. Todos necesitamos que nos digan: «Gracias. Te lo agradezco mucho. Has hecho un gran trabajo». El reconocimiento fomenta una vida creativa y productiva. No es algo secundario, sino primordial.

La otra cara de esta ley de interacciones es la oportunidad de ofrecer unas palabras de aprecio cuando alguien se lo merece. No es una mera formalidad ni un detalle inútil, al contrario, ayuda a quien te está sirviendo a hacer una larga jornada laboral y a aguantar las quejas y críticas de los clientes. Cuando una persona se lo merece, yo recomiendo elogiarla generosamente porque todos necesitamos mucho esta clase de reconocimiento.

En el fondo de la fascinación por la fama yace la necesidad del ser humano de lo sobrehumano e incluso de lo sobrenatural. Necesitamos estar conectados con aquello que es mucho más importante que nosotros mismos. Los famosos insuflan aire a nuestra imaginación al mostrarnos lo que la vida humana puede llegar a ser: la riqueza, las oportunidades y las magníficas vidas de las que hacen gala las celebridades.

Pero esta fascinación por la fama también viene en parte de no ser conscientes de nuestra propia importancia. Hay demasiadas personas compitiendo por los empleos, demasiados trabajos mal pagados y poco valorados, y demasiadas multinacionales tan enormes que sus empleados se sienten como un engranaje más en ellas. Cualquiera se sentiría muy pequeño en esa clase de mundo. Por eso deseamos tanto llevar una vida más significativa.

Un joven estudiante me contó en una ocasión que había soñado que iba montado en un globo aerostático que se deslizaba lentamente sobre un bucólico paisaje. Podía ver a la gente a sus pies contemplándole y admirando aquel hermoso globo. Se sentía feliz de estar en un lugar tan alto y de ser al mismo tiempo tan visible en un globo tan vistoso. Pero de pronto el globo empezó a subir y a subir descontroladamente. Cada vez iba subiendo más y más. Hasta que la gente que había debajo se convirtió en puntitos en medio del paisaje. El joven, asustado, no podía respirar y se despertó empapado en sudor.

Éste es el sueño de una parte de la sociedad, de los que tienen grandes expectativas laborales. Pero sus sueños se evaporan por lo vacíos que son. Los sueños de ser rico y famoso quizá motiven a algunas personas, pero otras vuelan tan alto al dejarse llevar por ellos que se alejan demasiado de la vida real. De algún modo tenemos que aprender a hacer ambas cosas: volar alto en nuestras ambiciones sin perder el contacto con el mundo real que nos rodea.

SATURNO Y EL TRABAJO

A simple vista parece que el trabajo sea simplemente un trabajo. Todos sabemos qué es y punto. Pero si le preguntáramos a una docena de personas sobre la naturaleza de su trabajo, posiblemente acabaríamos con una docena de ideas distintas. Para una persona el trabajo sería una forma de ganarse la vida. Para otra, una actividad productiva. Y para otra, una labor dura y dolorosa.

Estas diferencias sugieren que el trabajo no es simplemente un trabajo, sino que depende de la idea que tenemos de él y también de cómo la sociedad lo ve. Nuestra sociedad concibe el trabajo sobre todo como un extenuante esfuerzo, ejecutado bajo la atenta mirada de un jefe, para recibir un salario. Pero podríamos imaginárnoslo de otra forma. Como la de una actividad que nos apasiona. O como una compañía en la que los trabajadores son sus propietarios. O como una empresa gestionada con los principios del pensamiento lateral. En ella se podría recompensar la imaginación y la creatividad. Algunas compañías ya lo hacen, pero la mayoría no. Para conseguirlo se podría incluir el espíritu *puer* como parte del ideario de la empresa, de su forma de comprender y hacer las cosas. En las compañías podría haber un lugar para el joven del globo aerostático que contempla nuevos mundos en el horizonte.

Saturno es una figura mitológica romana que desempeñó un papel en la alquimia y la astrología. Se suele representar como un anciano, deprimido, con la cabeza apoyada entre las manos. Se lo conoce por encarnar la acumulación de dinero y la pasión por la geometría y las estructuras abstractas. Es el espíritu que subyace en la filosofía y la teología. Su metal es el plomo y su naturaleza es pesada. Le gustan las reglas, las regulaciones y las jerarquías.

En una ocasión, cuando enseñaba mitología y psicología arquetípica en la universidad, les pedí a los alumnos que salieran afuera, examinaran la universidad y volvieran para decirme cuál de las figuras mitológicas que les había descrito la reflejaba mejor. Todos me dijeron que era Saturno. Lo encontraron en la jerarquía universitaria, en las numerosas reglas y autoridades académicas, en los exámenes, en la enorme y pesada arquitectura tradicional, en la organización de la clase con el profesor encabezándola y los alumnos alineados en hileras perfectas de pupitres.

Éste es Saturno. Creemos que debemos trabajar duro a pesar de las privaciones y el sufrimiento que conlleva. Que debemos seguir las instrucciones y obedecer a los jefes y las tradiciones. Que si queremos triunfar en la vida debemos ascender en la jerarquía del mundo laboral. Que la compañía para la que trabajamos es la que gana el dinero y lo reparte sin demasiada generosidad. Nos gusta la gente luchadora que triunfa económicamente.

La mitología y la alquimia recomiendan otras alternativas o espíritus predominantes en lugar del saturnino. Les pedí a mis alumnos qué aspecto tendría la clase si Venus fuera el espíritu que dominara en ella. Me dibujaron esbozos de clases adornadas con plantas y flores, equipadas con sillas mullidas y cómodas y buena comida, decoradas con arte erótico y con las paredes pintadas de color verde. El espíritu venusino también tiene sus problemas, pero ofrece considerables ventajas y sin duda contrarrestaría el elemento saturnino. Un espacio venusino en el que trabajar sería un asombroso punto de partida para la mayoría de compañías e instituciones.

Durante la época del Renacimiento en Europa, Venus se veneraba como el espíritu de la belleza, la gracilidad y el placer. En *La primavera,* el famoso cuadro de Botticelli, Venus preside sobre las Tres Gracias que en aquella época encarnaban lo que se llamaba «la dulce vida». En el trabajo podríamos tener al menos algunas de esas cualidades venusinas y humanizar quizás el entorno y la actividad en él.

La mitología presentaba a los líderes del Renacimiento con otras posibles imágenes relacionadas con el trabajo y la cultura. Mercurio simbolizaba el estilo, la comunicación y un profundo aprecio por el mercado, el comercio y la inteligencia. Diana representaba la integridad personal, las virtudes de la soltería y el amor por la naturaleza y los animales; y en el trabajo, la soledad, la concentración y la atención a los detalles.

Nuestra idea de que el trabajo conlleva «sangre, sudor y lágrimas» no es más que una forma de concebirlo. Por el momento es Saturno el que lo preside, pero una imaginación *puer* libre y flexible nos ayudaría a abordarlo con actitud más alegre.

LA JUVENTUD, LA VEJEZ Y LA SENSUALIDAD EN TU VOCACIÓN

Si te imaginas tu vocación como una gran carga, como una tarea hercúlea que debes completar para sentir que tu vida tiene sentido, en este caso quizá te estés dejando influir demasiado por el aspecto saturnino de la ecuación emocional. Quizás hayas aprendido de manera subliminal de la cultura en general, de tu familia, o de las experiencias laborales que el trabajo conlleva sufrimiento, que es una actividad que no quieres o no te gusta hacer y que es un mal inevitable. Quizá sientas su peso sobre tus espaldas y anheles librarte de él.

Pero imagina en su lugar que te dedicas a la vocación que te apasiona. Como trabajar en algo que te gusta tanto que lo harías aunque no te pagaran por ello. O como trabajar con una actitud *puer* en lugar de saturnina. Este trabajo podría reflejar tus ideales, satisfacer al menos algunas de tus ambiciones y apoyar tu visión. Tracy Kidder describe en su libro *The Soul of a New Machine* [*El alma de una nueva máquina*] a unos jóvenes que se dedican a crear nuevos diseños de ordenadores. Los despidieron y en lugar de intentar buscar un empleo en otra empresa prefirieron trabajar muchas horas por su cuenta porque les entusiasmaba lo que hacían. Los compara con los monjes dedicados a la labor que les apasiona en la vida.

Yo he conocido a pioneros en el mundo informático, a hombres mayores ahora a los que los ojos aún les brillan con el espíritu *puer* y que sienten haber hecho una gran labor en su vida. Se dedicaron en cuerpo y alma a su trabajo convencidos de que podían ayudar a la sociedad a progresar y no sintieron el peso de la tradición y de las autoridades obligándoles a ser realistas y prácticos y a preocuparse por el dinero que gastaban en sus proyectos.

El espíritu *puer* se percibe en el lema de la compañía Tom's of Maine que afirma entre otras cosas: «Ofrecer un trabajo con sentido, una compensación justa y un entorno laboral seguro y sano que fomenta la apertura, la creatividad, la autodisciplina y el crecimiento interior».

Estas palabras son el lenguaje *puer* entretejidas en una forma saturnina conocida como el lema de la empresa. Ya que un *puer* puro ni siquiera se preocuparía de inventar uno.

La compañía de helados Ben & Jerry también fue muy conocida por su actitud con visión de futuro relacionada con el trabajo. Su lema encierra un espíritu similar, aunque quizá sea un poco más saturnino: «Fabricar, distribuir y vender helados y deliciosas bebidas de la mejor calidad hechos a base de productos naturales, y utilizar siempre ingredientes sanos y naturales, y fomentar la protección de la Tierra y del medioambiente».

Imagina ahora que escribes un lema para el trabajo de tu vida. Si combinaras una actitud *puer* y una saturnina podría ser algo así: «Intento encontrar un trabajo que se adapte a mis talentos y aspiraciones, y que al mismo tiempo me dé el suficiente dinero como para sacar adelante a mi familia llevando una vida moderadamente acomodada». Una actitud *puer* al cien por cien sería: «¡Quiero ser rico y famoso!» Y una saturnina sería: «Quiero dedicarme al trabajo que mi familia ha hecho siempre: trabajar duro, tener lo necesario para vivir y estar satisfecho con mi vida».

La Eterna Juventud, con toda la vitalidad y visión espiritual que tiene para ofrecer, es un poderoso don. Hace que tu profesión te entusiasme, te ayude a superar las situaciones insostenibles y te permita no perder de vista la inspiradora meta que te has fijado. La desventaja es que cuando un *puer* es aplastado por la autoridad o por la desilusión al fracasar en un proyecto, puede caer en una profunda depresión. Los jóvenes del mito vuelan muy alto y sufren una fuerte caída.

Saturno también tiene sus ventajas. Te da una personalidad intensa y rica, y te ayuda a dirigir a los demás, a crear organizaciones y a utilizar la tradición adecuadamente en lugar de estar reinventando siempre la rueda. Es importante sentir que tu trabajo y tu modo de vivir son sólidos, y Saturno te lo permite alcanzar sin demasiado esfuerzo. Pero también puede crear problemas como rigidez, autoritarismo y valores e ideas anticuados.

En la zona donde vivo hay frondosas colinas en las que una compañía tala los bosques y busca en ellos una madera especial de gran calidad para utilizarla en la construcción. William, el propietario anterior de la compañía, era un hombre *puer*: de aspecto aniñado, amante de la diversión, innovador y solícito con sus clientes. Un día vendió la empresa a una gran compañía y de pronto el ambiente que reinaba en ella cambió. La calidad de la madera descendió y el trato con la gente cambió por completo. Entonces vi hasta qué punto el espíritu de William había configurado la compañía y había infundido en ella una vitalidad que sus clientes apreciaban. El espíritu *puer* puede ser fuerte y eficaz, incluso en el contexto de una empresa y en medio de un trabajo duro. Si llevas dentro de ti a un Eterno Niño lleno de sueños debes saber que es posible aterrizar con el globo aerostático y disfrutar de la vida en la tierra. Tu tarea consiste en amar su ambición y al mismo tiempo en ayudarle a descender con precaución y lentitud al suelo. No tienes por qué temer a ese Niño Eterno ni avergonzarte de él, aunque a veces te haga cometer locuras y fracasar. No tienes por qué esperar a que se haga mayor. Pero debes bajar a tierra, encajar en alguna actividad y encauzar el impulso creativo de Ese Niño Eterno hacia la productividad, la comunidad y el servicio, de ese modo te dará una identidad y una vocación en la vida.

Tanto las características *puer* como las de Saturno aparte de manifestarse en una clase de personalidad o en un estilo de actuar, también pueden hacerlo en forma de fuertes impulsos, en gran parte inconscientes, que te llevan hacia una determinada dirección. Algunas personas no pueden evitar ser ambiciosas e idealistas. Están dominadas por esta clase de espíritu. Otras en cambio no podrían dejar de ser tradicionales aunque quisieran, lo son «por naturaleza». Durante siglos los escritores han descrito estos impulsos innatos como una poderosa fuerza llamada el «daimon». En el siguiente capítulo analizaré el espíritu que nos domina e impulsa a seguir una determinada dirección hacia una profesión.

9

El daimon en el trabajo

Recuerdo el primer día que fui a una exposición
de arte moderno y vi en ella cuadros de Matisse
y Gauguin. Era la primera vez que contemplaba
semejantes maravillas. Entonces comprendí
que no estaba loca ni trastocada, sino que
simplemente tenía unos «antepasados»
que habían hecho lo mismo que yo.
Creo que tiene que ver con la explosión
de un espíritu y con desafiar la tradición.

MARTHA GRAHAM[1]

Tengo una amiga, Judith Jackson, a la que siempre le ha cautivado la belleza y la buena salud. A los diez años contrajo una meningitis y se curó en un balneario gracias a la intervención de su madre. Dice que entonces aprendió que te curas mejor al limpiar tu organismo y comer alimentos sanos.

En la actualidad Judith comercializa en el mundo entero sus productos de belleza de aromaterapia y sus productos naturales, y ahora está dirigiendo su atención a la vejez y la salud. Afirma que su carrera empezó cuando recibía un masaje en Inglaterra con Micheline Arcier, una de las aromaterapeutas más destacadas de Europa. «Después de recibir el tratamiento, mientras estaba sentada tuve una verdadera revelación. Supe que había encontrado mi vocación. El tratamiento incorporaba una filosofía de la salud en la que siempre he creído: tratar a la persona entera: la mente, el cuerpo y el espíritu.»

Yo he trabajado con Judith y sé lo implicada que está con su trabajo y el gran compromiso que ha adquirido con sus productos, como el enseñar a utilizarlos y el promocionarlos por todo el mundo. Si viviera en la Italia del Renacimiento, la gente de aquella época habría dicho que estaba poseída por el daimon de la belleza, quizá por el espíritu de Venus, la diosa de la belleza y la sensualidad.

Para los griegos de la antigüedad un daimon era un misterioso impulso que le empujaba a uno hacia una determinada dirección. Era la fuerza oculta en la pasión y la tenacidad de unos profundos deseos. Si tu daimon es el amor, puede que te dediques toda la vida a buscar la pareja perfecta. Si tu daimon es la belleza, seguramente buscarás, como Judith, formas de cuidar el cuerpo. También hay el daimon de la agresividad, del hogar, los deportes y la creatividad, las posibilidades son infinitas.

Los romanos creían que uno nacía con su daimon particular, o en su lenguaje, con su genio. Es una fecunda idea que indica que la profunda pasión y motivación que nos acompaña toda la vida se encuentra en nosotros desde el principio. Aunque se va definiendo más a medida que crecemos, o quizá simplemente la conocemos mejor y sabemos adónde puede llevarnos. También puede hacerte despertar de súbito, como en el caso de Judit mientras estaba tendida en la camilla de masaje, ofreciéndote un atisbo de tu futuro. Ésta es una de las funciones del daimon.

El daimon es un impulso primario creativo. Aunque no te inspire para seguir una sola y definida profesión, al mirar atrás y observar todo cuanto has hecho, puedes ver una inspiración fundamental y una dirección esencial en tu vida. Judith fue primero modelo, después actriz y finalmente se dedicó a mimar y cuidar el cuerpo. Sólo podemos ver cuál es el hilo que une la vida de Judith al reconocer el daimon de la belleza actuando en ella.

Al igual que Judith, tú puedes sentir el daimon como una pasión, un impulso que no puedes ignorar y una dirección que quizá nunca hubieras tomado por ti mismo. El daimon es como una erupción volcánica o incluso como una intrusión en tu vida. Quizá luches contra él, creyendo que es una influencia negativa. He oído muchos sueños de mis pacientes en los que ven una puerta o una ventana entreabierta. Mientras lo están soñando temen que un intruso vaya a aparecer por la rendija en cualquier momento para amenazarles o hacerles daño, pero el intruso quizá sea el daimon creativo, que puede alterar el *statu quo* de uno.

Sócrates dijo que vivía su vida siguiendo los dictados del daimon: «El favor de los dioses me ha dado un maravilloso regalo que no me ha abandonado desde mi niñez. Es una voz que cuando se deja oír me impide realizar lo que estoy a punto de hacer y nunca me atosiga», afirma. A través de una sensación de advertencia el daimon le indicaba cuándo estaba a punto de cometer un error y por medio del silencio le dejaba tranquilo cuando iba por buen camino. Por la descripción de Sócrates podemos entender el daimon como la guía de una sabiduría interior, es más un impulso que un pensamiento. Pero a Sócrates le funcionaba por la devoción que sentía hacia una vida daimónica, por lo acostumbrado que estaba a escuchar sus impulsos y sobre todo por las advertencias que le hacía.

Cuando yo enseñaba religión y psicología en la Universidad Metodista del Sur, el golfista Payne Stewart era alumno mío en dos de mis clases. En aquella época él aún no había elegido una carrera. Un día vino a verme para que le ayudara a decidir si debía ser golfista profesional o dedicarse al mundo de los negocios. Le pedí que me contara uno o dos sueños de los que hubiera tenido, porque sabía que esta pregunta no podíamos responderla por medio de un análisis racional. Necesitábamos tener unas pistas más profundas y misteriosas sobre la naturaleza de su vocación.

Hablamos de sus sueños y al charlar sobre ellos a Payne le dio la impresión que debía arriesgarse e intentar dedicarse a lo que de veras le apasionaba: el golf. Su padre enseñaba golf y esta estrecha relación jugó un papel en nuestras charlas y probablemente en su decisión. Al final se dejó llevar por su daimon en lugar de seguir el seguro camino de la razón. Yo sentí que en el fondo él ya sabía lo que quería hacer en la vida —la naturaleza de su vocación y el daimon que lo motivaba— pero que necesitaba recibir el permiso o los ánimos para seguir su impulso.

Cicerón, el orador romano, dijo en una ocasión que el *animus*, otra palabra latina para referirse al daimon, es el que nos da nuestra identidad. El impulso de dedicarse al golf definió la vida de Payne. Llevó un estilo y una personalidad tan especial a este deporte que es imposible imaginarlo dedicándose al mundo de los negocios y jugando al golf sólo los fines de semana. A todos nos ocurre lo mismo: descubres quién eres realmente al dejar que la fuerza daimónica configure tu vida.

En la antigüedad, cuando la gente hablaba de su daimon no siempre se referían a él con este nombre. A veces consideraban las deidades clásicas como el daimon: como el daimon de Afrodita, la diosa de la belleza y la sexualidad, o el daimon de Deméter, la diosa de la agricultura y la fertilidad. Normalmente se imaginaban el daimon como una misteriosa fuerza que te empujaba a seguir una dirección. Como he dicho antes, Judith Jackson parece estar motivada por el daimon de la salud física y la belleza. Payne Stewart dio forma a su vida dejándose llevar por los dictados de su daimon. Desde que yo era niño he estado motivado por el daimon de la espiritualidad, el arte y la curación.

Para poder saber cuál es tu daimon pregúntate qué misteriosa fuerza hace que te fascine una determinada dirección. Puedes ver claramente el daimon en tus amigos: en el que siempre se ocupa de la comida, las reuniones sociales o las actividades; en el que siempre está viajando; en el que siempre tiene un libro entre las manos. Aunque lo más probable es que no te resulte tan fácil ver la influencia del daimon que actúa en ti.

También puedes observar tu vida, aunque seas todavía joven, y ver qué es lo que te fascina, interesa y deseas alcanzar en ella. Tal vez hayas inhibido la influencia de tu daimon al intentar ser demasiado razonable y convencional y ahora debas profundizar más en ti para poder percibirlo. ¿Qué es lo que te motiva? ¿Qué es lo que te hace sentir vivo?

Siempre puedes seguir el camino de Sócrates y observar la naturaleza de tus advertencias. ¿Escuchas una «voz» interior que te advierte que no hagas algo, como no aceptar un trabajo, no ir a vivir a una ciudad o no confiar en una persona? Si decides vivir daimónicamente, debes tomarte esas advertencias en serio. Por ejemplo, decides rechazar un trabajo simplemente porque escuchas una débil advertencia en tu interior. Confías en tus intuiciones más profundas. Permaneces atento para captar esta guía interior.

Para vivir siguiendo los dictados del daimon debes estar dispuesto a no ser tan racional y a no desear tenerlo todo controlado en la vida. Estás más atento y te fijas en las señales que te llegan de tu interior, sobre todo en las advertencias y las dudas. Lo consultas contigo mismo, haces caso a la fuerza daimónica con la que te has familiarizado con el paso de los años. Algunas veces el daimon se manifiesta como una fuerte intuición.

El problema con las intuiciones que te advierten que no hagas algo es que es difícil diferenciarlas del miedo o de una simple vacilación. Puede que tengas que experimentarlas muchas veces antes de saber distinguirlas mejor de la ansiedad. Yo he oído a personas decir que no quieren viajar porque intuyen que van a tener problemas o un accidente. Pero no saben si es una intuición real o un simple miedo al oír las noticias.

Vivir teniendo en cuenta el daimon significa aprender con el tiempo las formas particulares que tiene de presentarse para saber mejor cuándo seguirlo y cuándo hacer lo que a ti te parece. La intuición es distinta del pensamiento racional: cuando tomas una decisión basada en hechos e información, si te equivocas sabes que has cometido un error en algún punto. En cambio con la intuición puedes equivocarte todo el tiempo. Pero aunque te equivoques, después intuirás con más claridad lo que debes o no debes hacer. La voz del daimon está muy ligada y conectada a tu personalidad y tu destino. Puedes aprender a confiar en ella sin ser ingenuo o sin renunciar a un sano escepticismo.

Cuando intentes descubrir cuál es tu vocación en la vida, presta atención a cualquier sensación de estar en el lugar equivocado, aunque desde fuera parezca que lo tienes todo para ser feliz. Ésta es la actitud que Sócrates adoptaba con respecto al daimon. También puedes advertir profundos deseos que te empujan a seguir una dirección distinta a la de tu trabajo actual. Estos deseos no son malos en sí, ya que te permiten conocer lo que en el fondo necesitas. Pero no tienes por qué dejarte llevar compulsivamente por los deseos. Quizá necesites experimentarlos y explorarlos un poco antes de conocer plenamente su significado. Puedes hablar de ellos con tus amigos y tu familia y seleccionarlos como si fueras un alquimista. Ver la conexión entre tus deseos y tus sueños. Incluso puedes prepararte para un trabajo que esté más relacionado con tus deseos mientras conservas el actual para ganarte la vida.

Heráclito, el filósofo griego de la antigüedad, decía que el daimon es nuestro propio carácter. El irreprimible deseo de vivir de una determinada forma puede ser en gran medida una parte de ti que configura tu identidad. Tu vocación es una respuesta a esta guía interior que te ayuda a tomar una decisión tras otra mientras tu carrera se va hilvanando, creando tu vida y configurando tus cualidades personales.

Judith es como otras personas que conozco que siguen los dictados de su daimon. Cuando ha de tomar una decisión relacionada con su carrera laboral, lo consulta con ese impulso que la ha estado guiando toda su vida. Se pregunta: «¿Es eso lo que de verdad quiero? ¿Ésa soy yo?» Quizá todos los hechos y razones apunten hacia una dirección, pero si su impulso interior no está de acuerdo, Judith decide tomar otra. He observado atentamente cómo un proyecto de Judith iba cambiando muchas veces hasta que ella sentía que era exactamente como deseaba.

Una forma de seguir a tu daimon es mantener despejadas las vías que conectan tu vida interior con la exterior. Analiza las reacciones negativas que te produce tu trabajo, por más pequeñas que sean. En el caso del daimon, le prestas oído y después evalúas la situación. Advierte cuándo sientes, sin que haya una razón lógica o un hecho claro, que la situación no es correcta. Presta atención cuando tus amigos te digan que vas por el mal camino. Puede que se equivoquen, pero vale la pena contrastar sus opiniones. Cometer errores en el trabajo, sentir una cierta resistencia hacia él o estar desmotivado para realizarlo pueden ser signos del daimon.

Algunas personas eligen ganarse la vida con un trabajo o una profesión bien renumerados y satisfacen el daimon fuera del trabajo. Hace muchos años tenía un amigo dentista, Victor. Le gustaba su profesión, pero su verdadera pasión era la música. En su tiempo libre dirigía un coro masculino, componía piezas y hacía arreglos musicales para él. Su vida social estaba centrada sobre todo en la música y cuando dirigía el coro veías cómo su espíritu volaba. Sentí el daimon de Victor en su deseo de dedicar la mayor parte de su tiempo libre a dirigir el coro.

En el caso de Victor no sólo tenía una afición o *hobby* que complementaba su trabajo, sino que sentía una irresistible pasión por la música y al dirigir el coro era cuando más feliz y a gusto se veía. No se había dedicado a la música porque conocía sus limitaciones, pero la labor que realizaba en el coro de su barrio le bastaba para satisfacer a su alma.

Los que siguen los dictados de su daimon no se dejan llevar por lo que piensa la mayoría. Con el correr del tiempo el daimon va configurando una persona única que no se deja llevar por el sentido práctico o por lo que la gente cree. Judith está sin duda hecha para crear productos que le gustan, y para enseñar a sus clientes a usarlos y a promocionarlos adecuadamente. Lleva a cabo cada una de estas tres facetas de su trabajo con su propio estilo y yo creo que su particular estilo, que es tan importante para sentir que has alcanzado algo, procede de su lealtad hacia determinados gustos y una dirección interior indefinibles. El estilo es el producto de una intensa vocación. Cuando «sigues tu dicha», como dice Joseph Campbell, desarrollas un estilo de manera natural que no es sino la actitud de una persona que está segura del lugar que ocupa en la vida. El estilo produce placer, en concreto el placer de ser alguien único en un océano de seres.

Oscar Wilde dijo en una ocasión con su característico espíritu de contradicción: «En todas las cuestiones poco importantes lo esencial es el estilo y no la sinceridad. Al igual que en todas las cuestiones importantes». El estilo es tu forma particular de hacer las cosas. Lo vas desarrollando con el tiempo de la relación que mantienes con la influencia daimónica que se encuentra en el fondo de tu ser. Te conviertes en una persona singular, desarrollas tu propio carácter y vives y trabajas de una determinada manera.

He advertido que Tom, mi vecino, tiene un sutil pero claro estilo en su forma de hablar, vestir y comportarse. No me extraña que no se sienta a gusto con su trabajo en una importante compañía, porque las instituciones suelen destruir el estilo de sus empleados. El estilo sugiere individualidad, que puede percibirse erróneamente como una amenaza para la institución. Mucha gente cree que para que un negocio funcione todo el mundo ha de estar conforme en todo.

Yo creo que el daimon de Tom se dirige por una parte hacia su exitosa carrera —el trabajo en equipo en una compañía relacionada con el mundo de las finanzas— y por otra, hacia mejorar el futuro de su ciudad. Su daimon parece estar alejándolo del trabajo que durante años le ha definido satisfactoriamente y llevándolo hacia una causa más independiente, hacia la idea utópica de una comunidad humana. El daimon es una fuerza y no sólo una idea. Por eso no es correcto referirse a él como «sabiduría interior». Como fuerza tiende a impulsarnos a dejar nuestra vida estable y segura para adentrarnos en un área que tiene sus riesgos. Es más fácil ver el daimon actuando, por ejemplo, en un inventor que asombra al mundo con una nueva idea, que en alguien realizando con entusiasmo un trabajo estable durante muchos años. Sin embargo podría ser que esta persona hubiera ya prestado oídos a su daimon y que, al menos por un tiempo, éste la dejara disfrutar de una cierta tranquilidad y seguridad.

La gran individualidad de Tom personifica la idea de Heráclito según la cual el daimon genera carácter. Su deseo de dejar una compañía que tiene los recursos necesarios como para permitirle vivir holgadamente durante mucho tiempo sugiere que está siguiendo otra clase de guía. Está decidido a buscar su propio destino y esta convicción es un signo seguro de un daimon.

Scottie parece en cambio estar desconectado de una pasión daimónica que le daría una dirección a seguir en la vida. Se siente perdido. No le apasiona ningún trabajo en especial y tiene la sensación de poder seguir cualquier camino. Su falta de impulso daimónico le hace sentir vacío y confundido. En lugar de hablar de su daimon, tiene que afrontar a sus demonios.

Vivir dejándote guiar por el daimon te permite llevar una vida responsable. Escuchas y consideras constantemente los impulsos y los signos de su presencia. Haces esfuerzos sinceros y concretos para configurar tu vida de acuerdo con él. Aprendes a confiar en sus señales, aunque los hechos apunten hacia otra dirección.

Una de mis propias luchas tiene que ver con mi trabajo de escritor. Admiro a los artistas que siguen su propio camino y desarrollan sus extravagantes estilos y sus peculiares formas de expresarse. Uno de mis escritores preferidos es Samuel Beckett, un autor que muchos lectores encuentran incomprensible y de lo más estrafalario.

Pero por más que intento adquirir un estilo propio en mi forma de escribir, sé que siento el impulso de ir hacia otra dirección, la de ayudar a la gente a progresar, ya que en realidad soy terapeuta. Cuando escribo sobre el alma, intento cuidar las almas de los demás. La verdad es que me avergüenzo un poco de mi estilo literario, porque es muy sencillo y práctico comparado con mi sueño de ser una figura extravagante como Beckett. Mi daimon es consecuente, y mientras lo siga escuchando, mi vida creativa me generará el suficiente éxito como para satisfacerme.

Hoy día la gente cree que debe ser razonable y convencional en su modo de enfocar la carrera y actuar siguiendo criterios externos en lugar de dejarse llevar por sus impulsos. Quieren experimentar y probar con el trabajo de formas concretas para que les guíen, porque no confían en la fuerza daimónica de su interior. Además, al no tener la imaginación necesaria para considerar esta clase de enfoque, no pueden experimentar la fuerza daimónica ni afrontarla.

LA LUCHA CON EL DAIMON

W. B. Yeats vivió siguiendo los dictados de su daimon, pero lo describió como un «yo antitético». Decía que el daimon tiene un punto de vista distinto, comparado con el de la conciencia y la del terco yo. Quiere que vivas de una forma cuando estás intentando vivir de otra. Pero de esta lucha surge una vida creativa.

Vivir siguiendo los dictados del daimon puede que no te haga feliz. Hay algo insano en el actuar del daimon, comparado con el enfoque racional que un orientador universitario puede darte sobre una carrera. Quizás el daimon te empuje a vivir de una forma inesperada, pero a su propia manera te ayudará a hacer realidad tus sueños. En la antigüedad el daimon se consideraba un demiurgo, un hacedor del mundo, un creador de la vida.

Rollo May, psicólogo existencialista, destaca la capacidad del daimon para apoderarse de nosotros y abrumarnos. Tu vida actual puede que sea demasiado pequeña como para contener o soportar la fuerza del daimon, o quizá no has hecho el suficiente espacio en ti, o aún no eres lo bastante grande como persona para contenerlo. Aun así, May trataba la influencia daimónica como una fuente de la vida creativa y como la raíz del amor.

El daimon suele pedirte mucho más de lo que tú crees. Al prestarle oídos haces aquello que piensas es correcto. Tomas la dirección hacia la que crees que te lleva tu impulso. Y sin embargo puedes quedarte atrapado en una conducta sintomática relacionada con el daimon. Por ejemplo, si tu espíritu daimónico es dionisíaco —la necesidad de transgredir los límites y las limitaciones y vivir con un considerable abandono—, puede que bebas demasiado. Si tu daimon es Afrodita, quizá te pierdas en una vida sexualmente indefinida y complicada. Si tu daimon es como el de D. H. Lawrence —la necesidad de romper los moldes y las estructuras de la sociedad— puede que tengas problemas para conservar intactas tus relaciones importantes. Quizá vislumbres tu daimon oculto en alguna conducta adictiva o inadaptada, como el alcoholismo o encuentros sexuales casuales. Se trata por supuesto de pasiones, pero son más bien válvulas de escape que vías que te llevan a tu destino. Posiblemente te distraigan de aquello en lo que justamente debes concentrarte. El alcoholismo de mi amigo Scottie parece ser la raíz de su problema. Le impide conservar un buen trabajo y está destruyendo su matrimonio y su familia. Seguir el programa de doce pasos le ha ayudado, pero aún bebe de vez en cuando. Y cuando hablo con mi amigo no veo el espíritu daimónico en él de ninguna forma positiva. Scottie se ve bajo de moral, no tiene aspiraciones ni un rumbo en la vida. Le falta la pasión para hacer algo con su vida. Sospecho que su daimon sigue atrapado en el whisky y en las grandes cantidades de vino que toma.

Los esfuerzos que Scottie ha hecho hasta ahora para encontrarle la chispa a su existencia han sido medidas a medias. No se ha enfrentado a sí mismo ni se ha reconciliado con sus orígenes y sus experiencias pasadas. Ha hecho algunas locuras, como tirarle los tejos a una canguro, y sólo se ha excusado por su conducta. No ha reconocido por completo su insensatez y por tanto los restos daimónicos enterrados y disfrazados que hay en su interior. Se puede ver su chispa en sus poco sensatas acciones, pero también es evidente que no las ha aceptado como un elemento importante que ha de afrontar en su vida.

El daimon nos ofrece la energía y la dirección que necesitamos para dirigirnos hacia nuevas áreas laborales, pero requiere una respuesta creativa y sensible por nuestra parte. Tal como Yeats dice, quizá tengas que forcejear con esta fuerza, percibirla y dejar que desempeñe un papel importante en las decisiones que tomas en la vida. En lo que a mí respecta, soy una persona tranquila y retraída. Desde fuera no parezco ser el modelo de alguien que sigue los dictados de su daimon y, sin embargo, en el fondo de mi ser siento la presencia de algo que va mucho más allá de mi propia voluntad que me lleva hacia una dirección y que está creando el trabajo que estoy destinado a hacer en la vida. Veo con claridad el gran interés que he sentido a lo largo de mi vida por el alma y que mi pasión por la espiritualidad tiene claras raíces. Pero, ¿cómo puedo explicar mi carrera como escritor y el gran éxito de los pocos libros que he escrito que me ha llevado a hacer un trabajo tan interesante y vital en la televisión, la radio, la medicina y la religión? Yo no podría haber planeado todo esto. Pero tampoco puede decirse que me hayan llevado despiadadamente hacia esta dirección, sino que siento que una misteriosa fuerza ha estado configurando mi vocación durante muchos años.

Tenía un amigo en Irlanda, John Moriarty, al que considero el mejor escritor irlandés actual. John escribía como alguien impelido por su daimon. Página tras página en sus libros canta, repite, salmodia, habla extasiado. A muchos lectores no les resulta fácil leerlo por sus variadas alusiones a los mitos, la literatura y la filosofía. Poco antes de que muriera fui a visitarlo a un hospital de Dublín donde le estaban tratando un cáncer y se me elevó el espíritu al ver la constancia de su particular clase de fe y su lealtad a la musa que lo inspiraba tanto en sus libros como en su vida personal.

Jonh tenía una gran imaginación y durante una etapa de su vida intentó dar clases en la universidad, pero al final lo dejó porque sentía que no encajaba con la extrema vastedad de su imaginación. Aunque no le resultó fácil renunciar a aquella vida.

«La noche antes de volver a Connemara lloré, porque sabía que mi tiempo en la vía principal, de ser un hombre joven dedicado a la búsqueda de un hombre joven, se había acabado y estaba entrando en una etapa de solitaria reclusión, de inseguridad.

»Pero al igual que una foca saliendo a respirar por un orificio en la capa de hielo, yo tenía que salir a la superficie para coger aire. Tenía que ser yo mismo. Un día en el que sentía haber perdido el alma, fui a un río para que me la devolviera. Entonces volví a florecer de una nueva forma y nunca olvidé ni lamenté haber dejado atrás aquella vida.»

Así es una vida vivida daimónicamente. Aunque sientas miedo y angustia, sabes que debes seguir por ese camino. A veces podemos encontrar el daimon en la naturaleza. Los romanos y los griegos de la antigüedad lo sabían muy bien. John sabía que el río, una antigua imagen del fluir de la vida y de los giros que da, le haría volver al camino que sin duda debía seguir.

ESPERA UNA LUCHA

Cualquiera que haya descrito el daimon como una fuerza creativa ha hecho hincapié en la lucha que conlleva. En sus últimos escritos Jung habla de su propia vida en estos términos: «He tenido muchos problemas para llevarme bien con mis ideas», escribió. «Había un daimon en mí que me dominaba. He ofendido a muchas personas. No tengo paciencia con la gente, salvo con mis pacientes. Tuve que obedecer una ley interior impuesta que no me daba ninguna libertad para elegir. Una persona creativa tiene muy poco poder sobre su propia vida. No es libre. Es esclava de los impulsos de su daimon.»[2]

El daimon de Jung lo llevó a los misterios más profundos de la experiencia humana: sesiones de espiritismo, astrología, alquimia, OVNIS, sueños, coincidencias y religión. Aún es ridiculizado por los temas tan dispares que le interesaban y tachado de estar trastornado mentalmente, pero esta declaración nos ofrece su punto de vista. Lo que para algunos es inestabilidad, para otros es lealtad al daimon. A pesar de todas sus luchas interiores, Jung no se sentía vacío con la labor que hacía. Al contrario, su daimon lo llevó a realizar un trabajo sumamente original y satisfactorio. Pese a las atribuladas palabras de sus últimos escritos, no era una persona infeliz. Pasó a la historia como un hombre complicado que entendía la mezcla de fuerzas y emociones que comporta vivir la vida plenamente. No parecía importarle que la gente lo ridiculizara y tildara a menudo de loco o de excéntrico, y sabía perfectamente que seguir los dictados de su daimon lo llevaría a la controvertida labor que estaba destinado a hacer en la vida.

Los críticos de Jung suelen ser aquellos que ven una vida racional como lo normal e ideal. Pero Jung nunca la consideró así. Teóricamente definía el yo como un punto medio o un punto de encuentro entre una vida consciente y razonable por un lado y una vida de pasión e inconsciencia por el otro. Personalmente, llevó una vida multidimensional y se convirtió en un eficaz sanador. Iban a verle personas de todas partes del mundo para que las orientara.

El ejemplo de Jung te permite ver que el trabajo que estás destinado a hacer en la vida no es sólo el resultado de un plan y de preparativos racionales, sino que debes desarrollar actitudes y estrategias para que la fuerza daimónica que hay en ti se manifieste y estar al mismo tiempo dispuesto a experimentar con ella. Esto produce una vida *complicada*, usando la palabra en un sentido positivo, ya que haces cosas que a los demás pueden parecerles irrazonables, pero tú sabes que son necesarias para cumplir con tu destino. Quizá no seas tú sino tu daimon el que las elija, pero las haces porque ves que son necesarias.

LA EDUCACIÓN DAIMÓNICA

A cualquier edad puedes permitirte experimentar con algunas de tus poco racionales ideas. Mi padre empezó a recibir clases de piano a los noventa y cuatro años. Conozco a un banquero que cada verano se reserva unos días para ir a Maine a hacer unos cursos de fotografía. Martin Sheen se deja ver habitualmente en los eventos rebeldes y visionarios. Aunque no sean actividades transcendentales, revelan sin embargo una fuerza daimónica en ellas que se opone a la sabiduría convencional o al menos expanden la idea de vocación.

Sócrates, modelo de una vida que seguía los dictados del daimon, también nos mostró a través de su ejemplo cómo aprender a llevar una vida daimónica. Nunca dijo a sus discípulos qué debían pensar o hacer, sino que simplemente hacía que su conocimiento innato se manifestara. Una y otra vez les formulaba preguntas que les llevaban hacia la revelación y la comprensión. No les enseñaba a pensar, sino a abrirse a la interioridad del tema que estaban tratando. De esta forma los preparaba para permanecer atentos a sus impulsos y emociones.

Del mismo modo, los griegos concebían la educación como *paedeia*, el desarrollo de la mente, el cuerpo, el alma y el espíritu en un *arête* personal y social. *Arête* suele traducirse como «excelencia», pero implica coraje, ingenio y fuerza personal. El que tiene *arête* no es sólo una persona erudita que destaca en sus logros, sino además alguien con unos poderes especiales que ha trascendido el nivel humano. *Arête* implica una forma de vivir daimónica, en la que uno saca fuerza, agudeza mental e imaginación de una fuente que se encuentra más allá de su mente racional.

La educación moderna en cambio aspira a asimilar ideas estándar en los estudios de Filosofía y Letras y en los de Ciencias y a la formación para ejercer una profesión. Un jefe no busca contratar a alguien con fuerza personal y percepciones profundas, sino a alguien que sepa afrontar los retos más corrientes de la vida. Ya no educamos a los jóvenes para que se abran a la fuerza daimónica que les llevará al trabajo que están destinados a hacer en la vida. En su lugar les decimos qué trabajo deben ejercer y luego les ayudamos a amoldarse a él.

En la actualidad nos hemos dejado llevar por la visión del ser humano como un ser mecánico gobernado por un cerebro y vemos la educación como el proceso de inculcar habilidades para triunfar en el mundo laboral y ganar el máximo dinero posible. No tenemos en cuenta la educación del corazón ni la revelación interior de una fuerza profunda y una dirección en la vida. Tal como la entendían los griegos de la antigüedad, la sociedad fracasa en ese modo de proceder. No sólo las personas, sino también la comunidad, necesitamos la fuerza de lo daimónico para afrontar los desafíos que la vida nos presenta constantemente.

Conocí a un hombre en Dallas, Robert Trammel, que era un poeta y un pensador. No lo conocí a fondo, pero todos los contactos que mantuve con él fueron muy inspiradores. Por lo que pude ver cultivaba la vida de un forastero. Se hizo socio de organizaciones de reconocido prestigio, pero siempre criticaba sus puntos de vista y ofrecía otros alternativos. Creó su propia revista para escritores experimentales y siempre estaba animando a los artistas a ser audaces, a mostrar sus obras y a tener su propio estilo.

Como Robert prefería ser un forastero, quizás haya dado la imagen de ser un trotamundos que nunca encontró su camino. Pero los que lo conocíamos sabíamos que tenía una poderosa y envidiable vocación. No se dedicó a un trabajo típico, pero tenía muy claro cuál era su vocación.

En un poema titulado *Soñando,* escribió los siguientes versos, que transmiten el espíritu de este libro y quizás el de su extravagante vida:

> *Una vida es sobre todo recordada por las breves*
> *historias que irrumpen de golpe,*
> *maravillosamente entrelazadas con gente, lugares*
> *y eventos,*
> *una palabra, una imagen, un olor pueden*
> *desencadenarlas*
> *y al cerrar los ojos verlas*
> *como si acabaran de ocurrir ayer.*

No sé si Robert habría hablado del destino y el daimon, pero apreciaba las «breves historias que irrumpen de golpe» que nos convierten en quienes somos. Aun cuando pasemos de un episodio a otro, nuestra vida tiene un propósito que podemos entrever, tal como Robert dice, en un simple aroma o en una palabra. *Propósito* y *destino* son grandes palabras que se pueden magnificar y exagerar fácilmente. Aun así, transmiten un importante ingrediente en la labor de nuestra vida.

Sólo cuando Robert murió vi el propósito de su vida y de su labor. De pronto todas las pequeñas piezas del rompecabezas encajaron —las revistas selectas, los poemas cortos, las conferencias minoritarias, los comentarios hechos desde el fondo del auditorio— revelando el poderoso trabajo de su vida y me quedé impresionado al ver la clara dirección que había seguido. En varias ocasiones me invitó a colaborar con él en algunos de sus pequeños proyectos como editor, pero nunca tuve tiempo. Ahora al ver el brillante propósito que le animaba en su trabajo, lamento no haberlo hecho.

Imagina si cada hombre y cada mujer pudieran liberar la fuerza daimónica que llevan dentro en su vida laboral. Una familia que tuviera una tienda de comestibles estaría llena de fuerza daimónica mientras el propietario o la propietaria se ocupaban de abastecer a todo el barrio. Un contable daimónico sería muy valioso para cualquiera que intentara vivir administrando su dinero con inteligencia.

Unos ciudadanos tan educados e inspirados serían una poderosa fuente de progreso social. Cada uno de ellos aportaría su singular pasión y la inteligencia adquirida a las decisiones políticas en lugar de seguir a la masa con una ciega devoción a los partidos políticos. Crearía una verdadera comunidad, la reunión de unas personas reflexivas con una gran riqueza interior.

EL DAIMON Y EL DUENDE

La idea del trabajo que estás destinado a hacer en la vida conlleva en sí el elemento de tu individualidad. Al estar hecho para una determinada labor, puedes vivir con pasión cada experiencia de la vida cotidiana. Liberas tus deseos, miedos y pasiones, y dejas que llenen de vida tu trabajo. No se nos ocurre imaginar a una persona haciendo su vocación deprimida y desmotivada, sino entregada, perseverante, impaciente y llena de energía.

Hacia el final de su breve vida Federico García Lorca escribió un famoso ensayo titulado *Teoría y juego del duende* en el que evoca con gran fuerza un elemento importante estrechamente ligado a una vida daimónica. El *duende* es difícil de definir, pero es la pasión palpable que percibes en un artista o en un atleta que alcanza un poder sobrehumano y crea unos efectos mágicos gracias a sus inexplicables habilidades.

Lorca, que también poseía un considerable duende, lo describe de esta forma: «Para buscar al duende no hay mapa ni ejercicio. Sólo se sabe que quema la sangre como un tópico de vidrios, que agota, que rechaza toda la dulce geometría aprendida, que rompe los estilos, que hace que Goya, maestro en los grises, en los platas y en los rosas de la mejor pintura inglesa, pinte con las rodillas y los puños con horribles negros de betún; o que desnuda a Mosén Cinto Verdaguer con el frío de los Pirineos, o lleva a Jorge Manrique a esperar a la muerte en el páramo de Ocaña, o viste con un traje verde de saltimbanqui el cuerpo delicado de Rimbaud, o pone ojos de pez muerto al conde Lautréamont en la madrugada del boulevard».[3] El duende es la oleada de pasión que siente un inspirado guitarrista al tocar.

El mismo Lorca relacionaba el duende con el daimon. «El duende de que hablo, oscuro y estremecido, es descendiente de aquel alegrísimo demonio de Sócrates, mármol y sal que lo arañó indignado el día en que tomó la cicuta.»[4]

El duende te permite dedicarte a tu vocación con una pasión y una brillantez que supera la habilidad humana. Es una profunda inspiración, y se aplica a cualquier clase de trabajo, no sólo al de los artistas y atletas. En él contemplamos la magia que somos capaces de crear en nuestra vida y en nuestra profesión.

El duende es la capacidad para alinear tu vida con tu vocación sin importarte si la buena sociedad lo aprueba o no. Lo haces porque este deseo te empuja y llena, y estás dispuesto a arriesgarte por él. Tientas a la suerte, flirteas con el fracaso y te arriesgas a lanzarte al mundo como un individuo poseído por una ardiente pasión.

Quizás una de las razones por las que la gente no descubre cuál es su vocación en la vida es porque no está dispuesta a alojar al duende en su interior. Tu vocación quizá te pida más de lo que estás dispuesto a dar en la vida. A lo mejor te lleva hacia direcciones que has decidido evitar. Puede que incluso te pida que te entregues y arriesgues por completo.

Donald Martin Jenni, el extraordinario genio que tuve como profesor de composición musical a los veintitantos años, tenía un apacible aunque poderoso daimon. No es extraño que una persona tan dotada para la música y los idiomas como él —los otros estudiantes lo llamaban «supermán»— se dejara llevar por su daimon y tuviera en su interior un poderoso duende. Pero Jenni siempre fue una persona muy sencilla y se pasó la vida enseñando discretamente música en la universidad. En su caso el papel de educador le permitió mostrar la grandeza de su genio y la profundidad de su conocimiento. Le ofreció el entorno ideal para su versión del duende. Si hubiera sido simplemente un compositor o un músico no habría tenido el escenario adecuado para manifestarlo.

David Lang, uno de sus alumnos, dijo al elogiarlo: «A Jenni le apasionaba la música no por la profesión en sí, sino porque le encantaba pensar en ella... Era una persona muy silenciosa, circunspecta y reservada, generosa y virtuosa. He de confesar que su silencio al principio me asustó, porque me resultaba difícil interpretar la sutileza de las pistas emocionales que me daba. Pero era delicado en el trato y podía ser muy divertido, y cuando hablaba de algo en lo que creía irradiaba un brillo especial». El «brillo» de Jenni y su capacidad para «asustar» a los alumnos con su silencio son ambos signos de la fuerza que lo impulsaba en la vida. El daimon que anima a una persona quizá no sea evidente y no cree una vida explosiva, al contrario, puede que se revele a través de una fuerza y un brillo más silenciosos.

Otra lección sobre el daimon que podemos aprender de Jenni es la dificultad por señalar la naturaleza del trabajo relacionado con el daimon. A primera vista parece como si el daimon de Jenni fuera musical, pero también hay que tener en cuenta su extraordinario talento con los idiomas y la pasión que siempre ha sentido por el monasticismo, cuando se jubiló estuvo durante un tiempo en un monasterio.

Yo he pasado muchas horas conversando con Jenni, estudié sus partituras musicales mientras las componía y se las oí tocar. Él fue mi primera experiencia de ver un verdadero genio en acción. La primera vez que oí hablar del daimon y del duende, sentí que había encontrado estas dos fuerzas en un maestro que era apasionado y que se inspiraba con una intensidad tan profunda que casi rayaba con la violencia sin apenas dar muestras de ello.

Lorca dice que la pasión creativa del duende se parece a la muerte. Yo no lo interpreto como la muerte en el sentido literal de la palabra, sino como la muerte de tus planes, de tu identidad familiar y de tu control. Te sueltas, saltas al vacío de lo desconocido y dejas que algo poderoso ocurra. ¿Cómo si no podrías adquirir esa fuerza que va más allá de tu control? Como cualquier artista o músico sabe, no puedes trabajar produciendo un poderoso efecto si no dejas que la fuerza daimónica se apodere de ti. Si sólo interpretas un papel o una pieza musical de una forma racional, el resultado será sólo racional. En cambio, hacerlo desde un lugar profundo crea un impacto muy profundo. Y lo mismo ocurre con cualquier otra clase de trabajo y con lograr que tu vida sea significativa a través de lo que haces. Debes dejar que tus pasiones más profundas se revelen.

Pero esto no ocurre sólo a base de desearlo o de repente. Para que tu trabajo despida el brillo del daimon es necesario que te hayas estado preparando para tu vocación toda tu vida. Tienes que afrontar tu resistencia, tus miedos, tus hábitos y el deseo de tenerlo todo controlado. Necesitas aprender qué se siente al abrirse al daimon. Dejar que tu personalidad se vaya configurando de acuerdo con él. Aunque ninguno de estos logros es fácil o rápido.

Por supuesto también es posible abrirse demasiado al daimon y quedar desprotegido, pero incluso abrirte sólo un poco a la inspiración y la intuición puede que sea todo cuanto necesites para enriquecer tu vida y darle sentido. El trabajo que estás destinado a hacer en la vida aparece bajo muchas formas y debes estar atento para reconocerlo cuando se revele. Probablemente la vida no te lo presentará de una manera lógica y formal, sino sólo a través de señales y oportunidades. Pero debes tomarte tus intuiciones en serio, seguirlas hasta donde te sea posible y advertir también cuándo dudas y te sientes bloqueado. El daimon te guía tanto de manera positiva como negativa.

Al final el daimon y el duende se unen y descubres que vivir desde el lugar más profundo de tu ser te da vitalidad. Ya no necesitas esforzarte para progresar en la vida, porque el propio daimon te motiva a hacerlo de manera natural.

En un determinado punto de la Obra, el alquimista advierte que la materia del crisol va adquiriendo un color rojizo. Esta etapa se llamaba *rubedo,* el enrojecimiento. Es el momento en que una sensación de vitalidad y poder entra en juego: el rojo de la pasión, la vitalidad y la agresividad. El color rojo es el duende. Sin él estás incompleto y sin su influencia el trabajo que estás destinado a hacer en la vida no podrá revelarse por completo.

Cuando te falta poco para realizar la labor de tu vida, experimentas el enrojecimiento de tu ser, de tu trabajo y de tu mundo. Cobras vida y te involucras de lleno en lo que haces y con las personas que te rodean. Descubres que cuando sigues tu vocación puedes ser tal como eres. Tu trabajo te permite sentirte vivo y te da una identidad. Esta etapa es importante: no es el final del proceso, sino un punto decisivo en tu vida.

Al incluir el daimon y el duende en la ecuación ves que la labor de tu vida es apasionada, vigorosa y dinámica. Sientes cada vez más que tu trabajo es vital para ti, que es mucho más que un simple trabajo o una carrera profesional, ya que ves que tienes una labor que hacer en la Tierra, que estás destinado a contribuir al progreso del mundo y a ser un factor en él, por más pequeño y anodino que sea. El trabajo que estás destinado a hacer en la vida se va revelando y tú te enriqueces interiormente en el proceso, volcando tus pasiones, tu energía y tus expectativas en él.

El daimon te impulsa a trabajar con tal pasión que te entregas a tu profesión sin ningún esfuerzo. Sócrates decía que el daimon era el poder del amor, y estaba en lo cierto, porque la fuerza daimónica hace que te apasione tu trabajo. Te permite ser más lanzado, entregarte sin reservas a tu trabajo y sentirte más conectado a él, y te ayuda a abrir tu corazón y a darle vida a lo que haces.

10

Sintiendo pasión por tu trabajo

Los alquimistas creían que el opus no sólo exigía
un laboratorio, leer libros, meditar y ser paciente,
sino también amor.

C. G. Jung[1]

El hermano Kieran fue un monje irlandés que vivió en la época del apogeo del monacato celta. Era todo un experto en la elaborada caligrafía de los monjes, famosa en todo el mundo por ser uno de los grandes logros monacales. A Kieran le apasionaban dos cosas en la vida: la vida en comunidad y la caligrafía como arte. Intentó cumplir a la perfección ambas, pero a veces sobresalía más en una que en otra. Mientras compartía la cena con sus hermanos o limpiaba los establos, se entregaba hasta tal punto a estas tareas que se olvidaba de sus manuscritos. O al pasarse la noche con la pluma en la mano copiando a la luz de una vela un texto, al día siguiente se quedaba dormido mientras cantaba en el coro.

Un día la comunidad estuvo a punto de tener que abandonar el monasterio por falta de fondos. Los monjes necesitaban desesperadamente ganar dinero con algo y el abad recurrió a Kieran. «¿Podrías dedicar más horas a copiar un manuscrito para que podamos venderlo y salir a flote?», le pidió el abad. A Kieran le encantó poder dedicar más horas a su arte, sobre todo si era para ayudar a su comunidad. Estuvo trabajando todo el día hasta altas horas de la noche, se concentró tanto en las vistosas y elaboradas letras y en las diminutas imágenes de intensos colores de la vida monástica, que perdió la noción del tiempo. Puso todo su amor al trazar cada filigrana y cada detalle del intrincado fondo cubierto de figuras entrelazadas. Al final terminó el manuscrito cuando la luz del alba penetraba por la pequeña ventana y se dirigió al despacho del abad para mostrárselo.

Al salir del *scriptorium*, el ámbito del monasterio donde los monjes copiaban los manuscritos, Kieran se sorprendió al ver un enorme edificio lleno de monjes preparando alegremente la comida en la cocina, limpiando los suelos y encerando las gruesas puertas de madera. Al entrar al despacho del abad, se encontró con una persona desconocida que le habló con autoridad. «¿Y quién eres tú?», le preguntó el nuevo abad. «Soy Kieran. Aquí tiene el manuscrito que me encargaron», le respondió el joven monje mostrándoselo.

«Sí», respondió el abad, «estas cosas pasan. Todos hemos leído la historia del hermano Kieran, que desapareció hace cien años, un excelente calígrafo y un monje muy devoto a su comunidad. Estuvimos buscando durante décadas el manuscrito y ahora hemos recuperado tanto el texto como a su creador. ¡Alabado sea el Señor!»

A veces nos enfrascamos tanto en el trabajo que realizamos, que el tiempo se nos pasa volando. Y otras en las que estamos pendientes del reloj, se nos hace una eternidad. Aunque cada trabajo no sea como el del hermano Kieran, no creo que sea demasiado pedir intentar hacer un trabajo que te apasione.

He hablado sobre encontrar el trabajo adecuado o uno que le dé sentido a la vida, pero lo que realmente queremos es trabajar en algo que nos guste. Son dos los retos a los que nos enfrentamos: encontrar un trabajo que amemos y amar nuestro trabajo. Quizá parezcan dos caminos que llevan a la misma meta, pero son distintos.

Uno de los problemas que surgen al hablar del amor y el trabajo es la idea sentimental que solemos tener de la palabra «amor». ¿Es necesario que tu trabajo te enloquezca para poder amarlo o hay otras clases de amor menos extremas?

Quizá pienses que el trabajo no tiene nada que ver con el amor. Que debes ganarte la vida, sacar adelante a tu familia o simplemente sobrevivir. Pero si deseas encontrar el trabajo que estás destinado a hacer en la vida y no simplemente un trabajo, el amor es un tema ineludible. Porque, si no te apasiona lo que haces, ¿cómo puede el trabajo llenarte?

LAS DISTINTAS CLASES DE AMOR

Para los griegos existían tres clases distintas de amor: eros, agape y philia. Eros suele malentenderse en la actualidad, ya que hemos reducido su significado al amor sexual, sobre todo a uno turbio y reprochable. Agape es la palabra que se usa con más frecuencia para designar el amor que aparece en los Evangelios del Nuevo Testamento. Normalmente, aunque no siempre, se refiere a sentir compasión por el prójimo. Philia fue un término muy elogiado y tratado en la antigua Grecia y durante el nuevo resurgir de la cultura griega en el Renacimiento. Significa simplemente amistad. Estas tres clases de amor afectan nuestro trabajo, y aunque parezca mentira el más importante de los tres quizá sea eros.

La palabra eros surgió por primera vez en una rama de una religión de la antigua Grecia llamada orfismo, que procede de la figura mítica de Orfeo, un poeta y músico que embelesaba con la belleza de sus versos. En la historia órfica de la creación, todo cuanto existe surgió de la Noche, una diosa primigenia. La Noche se quedó embarazada del viento y puso un huevo de plata en el regazo de la Oscuridad. Del huevo nació Eros, conocido también como Fanes o luz. Era el dios del amor encargado de avivar la pasión e inspirar las uniones.

Los filósofos griegos aplicaron esta labor de eros al mundo en general. Lo vieron como una especie de creador que unía los distintos pares de opuestos del cosmos para formar un todo coherente. Incluso en nuestras pequeñas vidas eros tiene un aspecto creativo y, en el sentido más antiguo de la palabra, ser erótico es sentir pasión por la vida, desear iluminar siempre que sea posible y unir lo dispar.

Por supuesto, esta elevada idea de la palabra «eros» es muy distinta de la que tenemos en la actualidad, ya que la interpretamos como un turbio amor sexual. Sin embargo, los griegos de la antigüedad también contaban la historia de que Eros era hijo de Afrodita, la diosa de la sexualidad, y que por eso cumplía los encargos de amor que su madre le pedía. De modo que la sexualidad de alguna forma no puede eliminarse de la vida erótica.

EL EROS Y EL PLACER

Esta idea más amplia del eros se puede aplicar en una situación laboral normal, sobre todo cuando te apasiona el trabajo que haces ya sea porque te permite sacar tu creatividad o porque ayuda en gran medida a crear el mundo en el que quieres vivir. Los momentos más excitantes del trabajo nos producen una sensación de vitalidad que muy pocas otras cosas pueden igualar. Estos arrebatos eróticos en el trabajo aunque sean inusuales pueden bastar para hacernos sentir que nuestra profesión vale la pena.

Al decir que puedes amar tu trabajo de una forma erótica me refiero a que te ofrece recompensas que son sexuales en el sentido más amplio de la palabra, ya que te produce un gozo sensual, deseo, placer y una sensación de conexión con él. Considera el eros según la idea más elevada que los griegos tenían de él e imagina que tu trabajo te produce placer erótico. Imagina que tu profesión te gusta tanto que estás deseando ir a trabajar, ya que cuando lo haces te absorbes por completo en tus proyectos. Esto es el eros.

El eros también conlleva placer. Al hablar con la gente de su trabajo, he descubierto que pocas veces hablan de que les produzca placer. Normalmente lo que más les preocupa es ganarse la vida y triunfar en ella. Pero cuando te concentras tanto en el aspecto práctico o en el futuro, te pierdes las oportunidades de gozar con tu trabajo, y el placer es un ingrediente esencial para hacer que tu profesión te guste y que te esfuerces en llevarla a cabo. Nos parece raro hablar de «trabajo» y «placer» porque seguramente relacionamos el primero con el sufrimiento.

No pensamos en el placer como el elemento esencial del trabajo y, sin embargo, puede que desempeñe un papel sutil en él. Quizás al ir a una entrevista de trabajo, mientras estás hablando con el entrevistador de las obligaciones y las ventajas que el empleo conlleva, adviertes de pronto algo relacionado con la arquitectura, la decoración o el paisaje del lugar que te sorprende y atrae. El placer que pueda producirte quizá no esté relacionado directamente con el trabajo, sino que tenga que ver con algo secundario o inconsciente, con algo que sin duda no es el tema principal de la entrevista.

Por lo general subestimamos los placeres sencillos que forman parte de una profesión o de un empleo aunque jueguen un papel importante en nuestra satisfacción. Un despacho situado en un lugar privilegiado, una ventana con una hermosa vista, un restaurante cercano, un barrio interesante, un escritorio de buena calidad, todas estas cosas no están relacionadas directamente con el trabajo y sin embargo pueden ser muy importantes en él. Un ejecutivo me dijo en una ocasión: «Cada mañana me muero de ganas de ir a trabajar por los amigos que tengo allí». Un abogado me comentó: «Lo que más me gusta de mi trabajo es el edificio antiguo en el que está el bufete».

Podemos buscar el placer que nos produce nuestro trabajo con relación al espíritu y al alma. Al espíritu le gusta alcanzar metas y llegar a la cima del éxito, y estos placeres espirituales son importantes. Pero el alma se siente satisfecha con unas experiencias más momentáneas, normales y tangibles, como la sensación de estar en casa o con la familia y experimentar la belleza y el placer. Alcanzar o crear algo en el trabajo es importante, pero también lo es que lo que hacemos en él nos produzca placer.

Disfrutar de tu trabajo no significa que haya de gustarte a cada minuto o que esté libre de problemas, sino que en general el lugar de trabajo, las herramientas que empleas, el trabajo que realizas, y la labor que llevas a cabo solo o en compañía te produce un profundo placer. Epicuro, el gran filósofo del placer, del que procede la palabra *epicúreo*, dijo que algunos placeres son pasajeros y otros, profundos y duraderos. Quizá tu trabajo no te ofrezca placeres pasajeros tan a menudo como a ti te gustaría, pero el hecho de saber que estás haciendo lo adecuado en el lugar idóneo te produce un profundo placer.

El placer es un aspecto de aquella clase de amor llamado eros. Si consigues que la actividad, el producto resultante, los compañeros, el lugar de trabajo y los clientes te gusten, estarás haciendo que tu trabajo sea más erótico. Y cuanto más erótico te resulte tu trabajo o cuanto más erotismo lleves a él, más probabilidades tendrás de que te conduzca a ese tesoro que llamamos vocación. En realidad, mientras te vas acercando a ella irás encontrando la guía más segura para satisfacer tu necesidad de amar tu trabajo.

Este libro trata en el fondo de encontrar un trabajo que te apasione, pero también puedes llevar el amor a tu trabajo. Si siempre estás enojado y frustrado, estas emociones te impedirán llevar amor a tu trabajo. No puedes fragmentar tu vida emocional separándola en el trabajo, el hogar, la vida social y la psicología personal. Si no amas tu trabajo, te aconsejo que afrontes las emociones que sientes en cada aspecto de tu vida.

También puedes crear un entorno que favorezca el amor tratando a los demás de manera civilizada y cordial. En la actualidad tendemos a adoptar una actitud pragmática y creer de manera automática que las buenas maneras sólo son superficiales, pero intentar ser una persona cordial, quizás incluso en un grado mayor de lo que consideramos normal, puede ayudarte a crear un buen ambiente en el trabajo y llevarte a una clase de amor más profundo.

LOS AMIGOS EN EL TRABAJO

En la historia del amor y del alma verás que la amistad ocupa uno de los primeros lugares en la escala de valores, si es que no la encabeza. La amistad, aunque parezca algo normal y sencillo, es una de las fuerzas más poderosas de la tierra. Es una clase de amor especial que puede apoyarte mientras intentas descubrir cuál es tu vocación.

La amistad es un amor relativamente constante que no está alterado por los altibajos de las pasiones como el amor romántico. Para iniciar una amistad no necesitas celebrar una ceremonia como en el caso del matrimonio, porque la amistad va creciendo lentamente como un pequeño jardín, en lugar de llegar con una explosión de flores como una gran manifestación floral.

La amistad es un concepto muy amplio que en algunas ocasiones significa una íntima conexión y en otras un vínculo no tan estrecho. Hay buenos amigos, amigos íntimos y amigos que son más bien como conocidos; a veces cuesta saber de qué clase de amistad se trata exactamente. Pero por más fuerte que sea el vínculo que une a dos personas, la amistad te permite avanzar en la vida con compañeros que te apoyan, acompañan y conversan contigo. Es un regalo sencillo pero esencial.

Todas estas cualidades de la amistad afectan tu búsqueda del trabajo que estás destinado a hacer en la vida, ya que los amigos están ahí para responder a tus decisiones. Se preocupan por ti, pero son libres de cuestionarte y criticarte.

Una de las amistades más famosas fue la que hubo entre Sigmund Freud y C. G. Jung, que afectó la vocación de ambos. El día en que se conocieron se pasaron trece horas conversando apasionadamente. No sólo tenían muchas cosas de las que hablar, sino que congeniaron enseguida y disfrutaban con la presencia del otro. Durante años se estuvieron escribiendo largas cartas y conservaron su amistad, aunque algunos amigos suyos intentaran interferir en ella. Pero desde el principio surgieron problemas en su amistad. Freud quería que Jung heredara su papel como líder del movimiento psicoanalista. Sin embargo Jung tenía sus propias ideas y cuestionaba algunos de los principios básicos de Freud. Con el tiempo estas diferencias se volvieron más marcadas y adquirieron un tono de rencor. Jung se quedó asombrado al ver hasta qué punto, al menos según su opinión, Freud esperaba de él una absoluta conformidad y sumisión filial. Y Freud se quedó sorprendido de la independencia que Jung le pedía.

Al cabo de varios años su amistad se rompió. Freud empezó a hablar de Jung en términos despectivos y Jung desarrolló un enfoque distinto al psicoanálisis, añadiéndole sus propias ideas. Esta historia nos muestra la complejidad de la amistad y el arco que trazó su vida. Aunque Jung rompiera con Freud, al final de sus días admitió lo importante que había sido la amistad de Freud para iniciarlo en su vocación.

En las cuestiones relacionadas con el amor debemos ser cuidadosos con la tendencia a sentimentalizarlo y a pedir demasiado de él. Aunque una amistad no sea perfecta, puede seguir siendo una pieza clave en el desarrollo de tu vocación. Marsilio Ficino, que escribió apasionadas cartas y ensayos sobre la amistad, dijo que nos vemos reflejados en los amigos. Por ejemplo, descubres que un amigo tuyo es tu reflejo en el espejo, aunque sea muy distinto a ti.

Uno de mis mejores amigos es un ex jugador profesional de fútbol. Vistos desde fuera Pat y yo parecemos tener muy pocas cosas en común. Físicamente él es un gigante comparado conmigo y tiene un cuerpo muy atlético. Incluso somos distintos en aspectos más íntimos: es evidente que a él le atrae el lado oscuro de la vida, en cambio yo prefiero fijarme en el lado positivo. A él le interesa la corrupción, la violencia y los accidentes que ve a su alrededor. Y sin embargo en el fondo nos parecemos mucho y las apasionadas conversaciones que mantenemos quizá se deban a nuestra misma forma de ver la vida.

A ninguno de los dos nos gusta pensar de forma convencional. Ambos somos liberales, por no decir radicales, en nuestras inclinaciones políticas. Los dos apreciamos la magia y el misterio de la vida cotidiana. Pat resuelve cuestiones que son muy importantes para mí a nivel personal y las frecuentes cartas que nos mandamos me ayudan a progresar en mi propia búsqueda. Yo creo que también le ofrezco algo parecido a Pat.

Quizá Ficino tenga razón: en nuestras amistades nos encontramos a nosotros mismos y en nuestros amantes, nos vemos reflejados. Ambas relaciones son importantes, pero para descubrir cuál es tu vocación, verte a ti mismo con otra persona o en ella te permite conocer mejor quién es el que está buscando su destino.

Pat me ha ayudado en mi carrera porque conoce íntimamente lo que intento hacer y quién intento ser. Nuestras diferencias hacen que mi amigo no se limite a apoyarme sino que también me dé una perspectiva de mis acciones, pero las cosas que tenemos en común le permiten conocer mi destino incluso mejor que yo. En la mayoría de mis libros reconozco su influencia, pero no sabría decir exactamente de qué forma me ayuda.

Con un buen amigo o con un grupo de amigos ya no has de buscar tu vocación solo, porque son prolongaciones de ti y tú eres una prolongación de ellos. Tus amigos te siguen, te apoyan, te acompañan y a veces incluso te conducen hacia tu destino. Avanzas rodeado de amor en lugar de hacerlo sólo con la mente y los músculos. Philia, el amor de la amistad, te envuelve como una aureola haciendo que tu corazón se implique en la vida y te da, al menos en cierto grado, una cualidad que para Epicúreo era esencial en cualquier conducta humana: la serenidad. No se trata de pasividad, sino de un corazón sereno, libre de ansiedad. Por supuesto los amigos no te liberan de la ansiedad, pero te ayudan a afrontarla, y quizás a reducirla, y te llevan a otra clase esencial de amor: el espíritu comunitario.

LA NATURALEZA COMUNITARIA DEL YO

Mike, otro viejo amigo mío, es alto, atlético, atractivo y talentoso. Tiene una gran sonrisa que refleja un gran corazón. Pero cuando le conocí hace muchos años daba la impresión de estar perdido y obsesionado. No tenía trabajo y no parecía saber a qué dedicarse en la vida. Le interesaban las cuestiones profundamente teológicas y filosóficas. Más que interesarle parecía desear conocerlas a toda costa y se dedicaba a ello con gran intensidad. Escribió a autores famosos pidiéndoles que le ayudaran en su búsqueda del conocimiento.

Mike pasaba de estar relajado y pasárselo en grande a ensimismarse en las cuestiones que le preocupaban. Nadábamos y jugábamos al tenis juntos y nos convertimos en íntimos amigos. Hasta el día de hoy nos burlamos el uno del otro sin compasión y luego nos enfrascamos en una conversación sobre temas profundos.

Hace varios años mientras Mike jugaba a tenis en un centro de fitness, advirtió que los socios tiraban a la basura zapatillas deportivas que en la mayoría de los casos aún estaban en buen estado, y tuvo una idea. Empezó a recoger zapatos usados, lavándolos, seleccionándolos y enviándolos a las partes del mundo donde los niños se veían obligados a ir descalzos, exponiéndose a enfermedades. La idea de Mike se convirtió en una gran operación y en la actualidad envía decenas de miles de zapatos a todas las partes del mundo. Ha ayudado a una cantidad enorme de niños. Recibe donaciones muy pequeñas, las suficientes para que él y su hijo adolescente sigan con el proyecto y aún se ocupa personalmente de lavar y seleccionar los zapatos.

La historia de Mike es un ejemplo de la clase de amor que los griegos llamaban agape. No se trata en absoluto de un amor romántico, con su clase especial de pasión y su obsesión por la pareja. Ni tampoco es una amistad, ya que Mike no mantiene ningún contacto personal con los niños a los que ayuda. Y sin embargo es realmente una clase de amor no sentimental muy intenso. A Mike esta forma de amor le ha salvado al darle sentido a su vida y crear un trabajo que la configura.

En el proceso alquímico de llegar a ser una persona auténtica y encontrar tu camino en la vida, el amor es como un horno que, junto con el crisol, es el instrumento más importante en él. El amor te proporciona el calor, la energía con la que inicias y alimentas el trabajo que realizas. La labor que Mike hace con los zapatos no es maravillosa a cada momento. Conlleva la pesadez de limpiarlos y el trabajar duro. Mike apenas es reconocido por su labor y pocas veces ve directamente el fruto de su duro trabajo. Algunos días incluso se desanima.

Pero su pasión por la justicia social y su deseo de mejorar el mundo hacen que siga realizando su excelente trabajo casero. Esta pasión ya la sentía mucho antes de encontrar el vehículo adecuado para expresarla y pudo manifestarla gracias a la naturaleza de su interés, de su concienciación y de su deseo de hacer algo significativo en la vida. El agape es esto y constituye un profundo aspecto del espíritu comunitario.

El espíritu de comunidad no es un grupo de personas o una organización, sino una forma de ver la vida en la que te defines con relación al mundo que te rodea en lugar de hacerlo sólo con relación a ti. Es lo opuesto al narcisismo. Es en lo que éste se transforma a medida que pasas de quererte sólo a ti a querer a los demás.

Los enfoques más formales relacionados con la búsqueda de un trabajo y una profesión se centran en el individuo. Un psicólogo evalúa las facultades y aptitudes de dicha persona y luego busca los trabajos en los que más encaja. O bien piensa en la clase de trabajo que le llenará más. Pero siempre se centra en la persona.

Mike nunca se preguntó a qué podría dedicarse o cómo podría sentirse realizado. Simplemente mantuvo los ojos bien abiertos y vio dónde había necesidad y sufrimiento en el mundo y de esta visión comunitaria creó un trabajo. Para él la idea de ese trabajo como el proceso de convertirse en una persona auténtica y de ganarse la vida van unidas. Cuál surgió primero es como la pregunta sobre el huevo y la gallina.

El espíritu comunitario consiste en definirte a ti mismo con relación a los demás. ¿Eres una persona ensimismada que te aíslas del mundo que te rodea o participas en la sociedad? Vale la pena que te plantees si puedes descubrir el trabajo que estás destinado a hacer en la vida cuando estás sólo pendiente de ti. Incluso los ermitaños y los artistas solitarios pueden sentirse profundamente conectados al mundo en el que viven y trabajan. Para formar parte de una comunidad no tienes por qué estar activo en la sociedad en el sentido literal de la palabra, pero si no eres consciente de la sociedad de la que formas parte, te arriesgas a desconectarte de ella, a preocuparte sólo de ti y a sentirte solo.

En mi condición de terapeuta vienen a verme muchas personas que están pendientes sólo de sus emociones, de su sensación de vacío y de sus relaciones fracasadas. Están obsesionadas con su propia vida. Se asombran cuando les sugiero que colaboren como voluntarias en alguna oenegé o que intenten servir a su comunidad de alguna otra forma. El mundo está lleno de necesidades y no te costará descubrir cómo puedes aportar tu granito de arena a él.

Participar más en la comunidad ayuda a resolver muchos problemas emocionales personales, que se deben a menudo a la ansiedad que produce el yo. En lugar de ir más allá de él, yo recomiendo expandir la sensación del yo. Tu alma es más grande y profunda que tu idea de quién eres y se extiende más allá de tu vida personal para incluir tu comunidad y el mundo cultural y natural que te rodea. Durante miles de años la gente ha hablado del *anima mundi,* o el alma del mundo, que es la tangible profundidad y vitalidad del universo en el que vives. Jung dijo en una ocasión que el alma no está en ti, sino que tú estás en el alma. Es una poderosa forma de recordar que formas parte de algo mucho más grande en lugar de creer que todo está dentro de ti.

El espíritu de comunidad no es una congregación de personas, sino una clase de amor. Es algo que sientes, gozas y representas con una actitud de servicio y celebración. Si puedes alcanzar el agape, el amor comunitario, en tus sentimientos y en tu actitud, ya habrás recorrido una buena parte del camino que te lleva a encontrar el trabajo que estás destinado a hacer en la vida.

Hablo de «comunidad» en lugar de «tu comunidad» porque los perímetros de tu comunidad varían y cambian. Tu comunidad puede ser la gente que te rodea en tu lugar de trabajo o en tu compañía. Pueden ser tus vecinos o tus conciudadanos. En el fondo la sensación completa de comunidad abarca el mundo entero, las personas, los seres vivos y los objetos que forman parte de él. A partir de esta visión más amplia puede surgir una vocación más amplia. Sólo necesitas mantenerte en contacto con tu sensación de amor, alimentándola y permitiendo que se intensifique.

Los problemas laborales o emocionales personales pueden venir en parte de estar demasiado centrados en nosotros mismos. Y esta fijación se vuelve tediosa y carente de vitalidad. Necesitamos también preocuparnos de los demás para olvidarnos de aquello que nos obsesiona y ver nuestros problemas desde una cierta distancia. La propia psicoterapia, al centrarse en el paciente, puede agravar el problema al aumentar la sensación de aislamiento, por eso a veces es una buena idea hacer algo por la comunidad como una forma de terapia.

AMA EL TRABAJO QUE REALIZAS

Durante la mayor parte de su longeva vida mi tío Tom cultivó los 125 acres de tierra de la granja familiar situada al norte del estado de Nueva York. Mi familia construyó la granja después de emigrar de Irlanda a finales del siglo diecinueve. A mi tío le encantaba ser granjero, amaba cada palmo de tierra, los animales y esta parte del mundo. Pero no fue nunca una persona sentimental. Se levantaba temprano, trabajaba duro durante muchas horas, se preocupaba de sus ingresos y nunca trató a los animales como mascotas. No le oí decir que amara su vida de granjero, porque nunca hablaba de ello de manera directa. Pero era evidente por todo cuanto decía y hacía que le apasionaba cada aspecto de su exigente vida. Se veía en la atención que prestaba a cada clavo de la valla, a cada herramienta perfectamente afilada, a cada paca de heno recién cortado.

Si te gusta el producto o el servicio en el que participas, disfrutas de las circunstancias de la profesión a la que te dedicas y aprecias a los compañeros que trabajan contigo, puedes afirmar sin duda que amas tu trabajo. Y este amor es el que marca la diferencia, ya que te permite participar y vibrar con lo que estás haciendo. Estás presente en tu trabajo, y tu deseo de llevarlo a cabo despierta la parte más profunda de ti, tu alma, y hace que sea más humano y personal.

Aunque de niño yo idealizara a mi tío, él no era perfecto. Cada dos meses se emborrachaba y entonces a mí me parecía como si mi tío desapareciera. Esperaba con ansias a que volviera a ser el mismo de siempre. Ignoro por qué bebía. Había oído decir que tuvo una decepción amorosa tan grande que decidió no casarse nunca y que bebía para evadirse de su tristeza. Pero estoy seguro que esto sólo era una parte de la historia.

Puedes amar tu trabajo aunque tu vida no esté perfectamente ordenada. El amor no exige perfección, pero te pide que te entregues a él con menos reservas de las que quisieras. Te pide que te abras a la vida: quizá simplemente que seas capaz de amar un trozo de tierra y mantener los recuerdos vivos en tu memoria. La ira y otras emociones negativas interfieren en el amor por tu trabajo. Puedes expresar tu ira de una forma pasiva y agresiva, llegando tarde al trabajo, no haciendo bien los proyectos o no entregándolos a tiempo, o hablando mal de tu compañía o de tus jefes. Esta ira mal encauzada se interpone entre ti y tu trabajo, impidiéndote ejecutarlo con amor.

Quizás en el pasado tuviste una decepción o deseaste un cargo que nunca te concedieron y ahora no amas lo bastante tu trabajo. Tu mente a lo mejor está en otra parte por una serie de razones, y al no estar totalmente presente en tu trabajo, eres incapaz de amarlo.

No puedes obligarte a trabajar con amor, pero sí puedes hacer un espacio en tu interior para que esta emoción se manifieste. Aquí es donde entra en juego la alquimia de nuevo, ya que gran parte de este trabajo requiere reunir todos los desechos de tu vida, meterlos en un receptáculo adecuado, seleccionarlos y dejar que la solución resultante te purifique el corazón. La *purificatio* era una etapa importante del proceso alquímico.

Viertes todos tus antiguos resentimientos, decepciones, fracasos, ideales perdidos, envidias y celos competitivos en el crisol y los pones en orden. Por el simple hecho de reconocer todas estas cosas negativas por lo que son en sí, sobre todo en el recipiente de una amistad o de una terapia, ya tiene lugar la purificación. Solemos pretender que nosotros no hemos tenido nada que ver con todas esas emociones negativas, en cambio el proceso alquímico pone un fin a la ingenuidad y a la inocencia. Ya no sigues negando tus emociones turbias, al contrario, las colocas una por una en el recipiente para verlas tal como son, sientes lo desagradables que te resultan y luego observas cómo se transforman.

En las ilustraciones antiguas del proceso alquímico, el material empleado presenta un aspecto oscuro y lodoso, pero también aparece un pájaro blanco volando y alejándose de él: la imagen de la purificación y de una nueva inocencia surgiendo. Cuando eres cínico o albergas rencores, no puedes amar tu trabajo, pero al alcanzar la sofisticada inocencia que surge del autoanálisis, vuelves a ser libre para sentir emociones positivas. Has experimentado una catarsis, una purificación en tu actitud que te permite despertar a una nueva vida.

Mi amigo Scottie al contarme detalles sobre su nuevo trabajo me describió entusiasmado las habilidades y cualidades personales de dos de sus jefes. Creo que ahora Scottie va por el buen camino, porque sé que hay que tener una cierta inocencia para apreciar a un compañero de trabajo, sobre todo si se trata de un superior. Antes Scottie era muy cínico y siempre hablaba mal de sus jefes.

Si ahora él pudiera llegar a amar su trabajo estaría en camino de renovar su vida. No tiene por qué verlo como el punto final de su búsqueda, pero al abordarlo con una actitud purificada, gana muchísimo, ya que puede usarlo como un trampolín para seguir progresando en la vida. El amor es el calor, la energía y el motor que le empujan a hacerlo.

Es difícil usar la palabra *amor* con relación al trabajo sin sonar sentimental. La belleza de la alquimia radica en que se limita a describir un proceso. No ensalza el papel del amor, pero expresa la importancia de la devoción a la Obra. Cuando muestra la Obra enrojeciendo, no sólo significa un nuevo nivel de vitalidad, la sangre roja circulando de nuevo, sino también el rojo vivo del calor, el calor del amor.

Desarrollé mi filosofía sobre el trabajo cuando vivía en una orden religiosa. En ella me enseñaron a ver las pequeñas tareas que me asignaban —anotar los gastos, cortar el césped, podar los árboles— como esenciales para la vida. Me animaron a amar el trabajo que realizaba como un camino espiritual.

11

Trabajar es rezar

Cuando se hace algo, hay que hacerlo
con todo el cuerpo y toda la mente.
Hay que concentrarse en lo que se hace.
Hay que realizarlo por completo,
como una hoguera bien encendida.

SHUNRYU SUZUKI[1]

El ulema Nasrudín consiguió en una ocasión un trabajo de mozo en el bazar. Un día que tenía que llevar unos sacos de cereales a un carro, el capataz, al ver que cargaba sólo con uno mientras los otros mozos llevaban dos, le dijo: «¿Por qué sólo llevas un saco cuando los otros llevan dos?» A lo que Nasrudín le respondió: «¡Yo no soy tan perezoso que sólo quiero hacer un viaje pudiendo hacer dos!»

Las historias sufís de Nasrudín, una carismática figura que es tanto un embaucador, como un santo varón y un maestro, parecen ser a simple vista sólo historias graciosas, pero a un nivel más profundo nos ofrecen una lección espiritual. Esta historia sugiere que desde un punto de vista espiritual el trabajo puede realizarse con una motivación muy distinta a la habitual. Nasrudín vive siguiendo sus propias reglas y desconcierta y preocupa a sus jefes. ¿Está intentando evitar el trabajo pesado o saltándose las normas establecidas por la sociedad? Como las historias sufís nos enseñan verdades profundas, ¿hay alguna idea básica oculta en esta estimulante historia?

Jesucristo contó una historia parecida sobre unos jornaleros. Algunos de ellos llegaron a primera hora de la mañana, otros al mediodía, y otros a últimas horas de la tarde y, sin embargo, todos recibieron el mismo salario. No parece tener demasiado sentido. Algunos interpretan la historia como una metáfora de la salvación, pero estudios recientes sugieren que se trata más bien de un cambio radical en los valores, un cambio que afecta nuestra forma de trabajar.

UN CAMBIO DE VALORES

Tanto la historia de Nasrudín como la de Jesús tiene muchas implicaciones, pero vamos a centrarnos en una de ellas: al considerar los aspectos espirituales del trabajo, debes usar una lógica distinta a la del resto del mundo. Quizá vayas más allá de las cuestiones relacionadas con el salario, la jornada laboral, los deberes y las oportunidades de ascender para tener en cuenta los valores éticos, el sentido y la contribución social del trabajo que te estás planteando hacer. Aunque el salario y otras cuestiones relacionadas con él sean importantes, en el fondo te producirá una satisfacción más profunda desarrollar una visión espiritual en el trabajo.

No trabajas sólo para recibir un salario por las horas que hagas, ni tampoco tienes las mismas metas que las personas que te rodean. Un padre o una madre que aconsejen a su hijo: «No elijas un trabajo sólo por lo que ganes en él» le están diciendo algo similar. No te preocupes por las matemáticas que te aseguran que recibas la cantidad que te corresponde por tu trabajo, considera otras razones para hacerlo. Ve más allá de la lógica que convierte tu trabajo en una mercancía.

Si un ser humano está dotado de un cuerpo, un alma y un espíritu —una definición muy antigua de lo que es una persona— en ese caso todos tenemos necesidades espirituales, físicas y emocionales. La espiritualidad afecta nuestro trabajo en tres áreas fundamentales: hace que elijamos un trabajo que le dé sentido a nuestra vida, nos incita a trabajar en un empleo ético realizado en un contexto ético y nos inspira a que sea una actividad que contribuya al progreso de la sociedad.

Si tienes en cuenta estos tres criterios al elegir una profesión, el amplio abanico de posibilidades laborales se reduce drásticamente y te resulta entonces más fácil elegir un trabajo que se adapte a ti. Algunos trabajos tendrán sentido para ti, pero muchos otros probablemente no lo tengan. Quizá tengan sentido para otras personas, pero tú eres un ser único. Al abordar el trabajo con una visión espiritual, para ti es esencial que le dé sentido a tu vida.

Susie, una buena amiga y antigua paciente mía, trabajaba en una compañía de seguros cuando la conocí. Esperaba poder montar su propia empresa y ganarse bien la vida en ese campo. Pero no tuvo éxito en su intento, porque en realidad aquel trabajo no estaba hecho para ella. Vino a verme deprimida sin advertir la conexión que había entre ese trabajo y su depresión.

Más tarde consiguió un apasionante empleo como mánager de una banda musical. Fue un paso hacia delante para ella y este trabajo la llenaba mucho más que el de la compañía de seguros. Se pasó varios años dedicándose al duro trabajo de concertar actuaciones para la banda y ocuparse de los numerosos detalles referentes a los conciertos y al dinero. Creyó haber encontrado su vocación. Pero Susie siempre me había dicho que le gustaba mucho la psicología. Cuando la conocí advertí lo mucho que valoraba el trabajo de los psicoterapeutas, casi sentía veneración por él. Durante varios años perdí el contacto con ella, pero un día me la encontré por casualidad. Me contó que estaba estudiando para ser terapeuta, nunca la había visto tan feliz. «Siempre me gustó mi trabajo, incluso algunos aspectos de mi empleo en la compañía de seguros, pero nunca sentí que me llenara por completo», me dijo.

El sinuoso camino que Susie ha seguido es un ejemplo de cómo las cuestiones espirituales pueden ayudarnos a encontrar el trabajo que estamos destinados a hacer en la vida. Su deseo de ayudar a los demás era evidente en los distintos empleos que tuvo, pero fue decisivo al elegir ser terapeuta. Mientras estudiaba en la universidad se avergonzaba un poco de ser mayor que los otros estudiantes y de estar de repente ganando tan poco dinero, pero aquella locura forma parte de la historia.

Una historia fundamental sobre el trabajo en mi familia es la decisión que mi padre tomó cuando era lampista de enseñar lampistería en la escuela industrial en lugar de montar su propio negocio. Sabía muy bien que ganaría mucho más dinero si trabajaba por su cuenta, pero también sabía que le encantaba enseñar. Siempre le ha gustado enseñar a los demás cualquier cosa, desde lampistería hasta deportes, y siempre ha sentido una gran curiosidad intelectual por el mundo natural. Cuando enseñaba a sus alumnos le gustaba sobre todo tratar el tema del agua y hablar de ella y del papel que tiene en la sociedad.

Con el paso de los años creo que mi madre y mi padre lamentaron no haber elegido un trabajo que diera más dinero, pero sabían que él tenía que pasar por la etapa de ser profesor. Para toda la familia era evidente que había nacido para dedicarse a la docencia. Sin duda mi padre me ha transmitido su gran interés por los valores espirituales.

En la actualidad muchas personas dejan un buen trabajo en una compañía para dedicarse a actividades con mayor conciencia social y valores éticos. Algunas llevan a cabo cambios radicales, como si quisieran evitar volver a la vida de antes. En la prensa se publicó la noticia de un ejecutivo que trabajaba en un rascacielos y que partió su escritorio con un hacha. Y la de un pianista que, frustrado por el vacío que sentía en sus giras de conciertos, arrojó el piano por la ventana de un segundo piso.

Aunque la mayoría de la gente cambia de una manera menos espectacular. Quizás algunas personas decidan ganar menos y dedicarse a un trabajo que se adapte más a su nueva visión de la vida y a los valores que consideran importantes. Tal vez lleguen a la conclusión de que trabajar para una compañía que corrompe los valores les perjudica y que en el fondo es inmoral. O a lo mejor su trabajo actual es demasiado pragmático y no llena sus necesidades de hacer algo en el mundo que valga la pena.

LA ÉTICA, UNA PARTE DE LA PRÁCTICA ESPIRITUAL

Las prácticas espirituales como ir a la iglesia, meditar y rezar producen un efecto en nuestra psicología y en nuestro carácter. Hacen que nos interesemos más por la humanidad y que deseemos mejorar el mundo. Estas actividades espirituales nos ayudan a volvernos más éticos.

La ética del pasado nos enseñaba simplemente a hacer lo correcto, como una cuestión de principios. Pero hoy día nuestra comprensión de la ética es más profunda, ya que actuar con ética también comporta sentir empatía por el vecino o respetar la naturaleza y los animales. O comprender que en la sociedad todos estamos interconectados, y al ver el mundo como una gran comunidad deseamos de manera natural comportarnos mejor éticamente en él. Estos valores éticos al configurar nuestra vida nos hacen desear buscar un trabajo que los personifica y que no vaya en contra de nuestra ética.

Si tu trabajo va en contra de tus valores, te sentirás dividido, tus valores personales irán hacia una dirección y tu trabajo hacia otra. Como los valores éticos están profundamente arraigados en tus emociones y tu visión de la vida, te sentirás escindido en contra tuya. Tu trabajo te perturbará y nunca llegarás a sentir que te dedicas a tu vocación. La ética desempeña un papel profundo y central en esta búsqueda.

Puedes dejar que tus valores éticos te guíen hacia el trabajo que deseas realizar. A medida que vayas haciéndote mayor, éstos irán cambiando y madurando. Tu sensación de estar más o menos hecho para el trabajo que realizas cambiará de acuerdo con ellos. A medida que tus valores éticos se vayan desarrollando, puedes seguir estos cambios y dirigirte hacia una clase de trabajo que te satisfaga. Una parte de ti que ha de sentirse realizada es la espiritualidad y una parte de esta espiritualidad son los susodichos valores.

El camino que te lleva a tu vocación es un proceso dinámico. En la mayoría de la gente pasa por muchas etapas.

Mientras te desarrollas como persona, tus ideas sobre el trabajo irán cambiando y cada vez te acercarás más a la meta de encontrar un trabajo significativo para ti. Si eres fiel a tus valores, tendrás más posibilidades de saber a qué te quieres dedicar en la vida.

Seguir tus valores te lleva a un mundo mayor —es una forma de trascender tu pequeño mundo— donde debes crecer mucho más como persona. Nelson Mandela decidió hacerse abogado y defender a los pobres. La experiencia lo llevó a ser un líder local en la reforma de la sociedad del *apartheid* y a convertirse en el presidente de su país. Se dejó llevar por una vocación ética y al seguir su profundo deseo de mejorar la vida de su gente, llegó a convertirse en quien es ahora.

LOS NEGOCIOS COMO UNA PRÁCTICA ESPIRITUAL

El mundo de los negocios parece ser uno de los aspectos más profanos de la vida cotidiana. Su interés por el dinero, el marketing y las ganancias dan la impresión de ser lo opuesto a la espiritualidad. Y, sin embargo, los ejecutivos más punteros asisten a conferencias y talleres sobre espiritualidad con el profundo deseo de que les ayude en sus negocios y en su vida personal. Muchos de ellos se sienten sucios si trabajan sólo para obtener beneficios y ganar dinero como meta principal en la vida. Buscan ahora otras opciones.

No basta con vincular la espiritualidad con los negocios o con añadirle este aspecto como un elemento adicional, sino que es necesario descubrir los elementos espirituales en el mundo de la empresa y hacer que sean más visibles y eficaces. Cuando la espiritualidad inherente en la actividad empresarial se vuelve más evidente, los trabajadores tienen más posibilidades de realizar un trabajo que les inspire y ayude a concebir lo que están haciendo como la profesión de su vida.

La espiritualidad en el trabajo es totalmente compatible con disfrutar de la profesión, ocuparnos de los detalles que conlleva y esperar obtener unos beneficios de ella. Yo considero el marketing de mis libros como una parte de mi práctica espiritual y mi deseo de triunfar económicamente apoya la espiritualidad de mi trabajo. El dinero puede convertirse en un obstáculo, pero en sí mismo es un ingrediente básico para llevar una vida significativa.

Los negocios, aun cuando tengan que ver con las ganancias, juegan un papel importante en la comunidad, proporcionando productos y servicios, puestos de trabajo y ayuda económica para las actividades de la comunidad. Todo ello son formas de fomentar el espíritu comunitario y de trascender la actitud de ganar dinero como meta principal. Un negocio también crea lugares de trabajo que pueden ser simplemente pragmáticos y eficaces, o bien personificar valores espirituales como la belleza, el espíritu comunitario, la amistad, la artesanía, la generosidad y la hospitalidad.

En una pequeña población de Nueva Hampshire que se encuentra cerca de donde yo vivo y de donde mis hijos crecieron, dos personas administran un cine que alimenta el alma de la comunidad. Tiene una pequeña sala y otra más pequeña en la planta superior, que antes era la sede del ayuntamiento. Es un local extremadamente «retro». Sus propietarios ponen tanto películas populares como artísticas que consideran de buena calidad y sólo te cobran una tercera parte de lo que te costaría la entrada en un cine de una ciudad pequeña. Los asientos son viejos pero cómodos y en invierno te aconsejan llevar una chaqueta. Al cine van incluso personas de los pueblos vecinos y forma parte de la vida de la comunidad.

¿Qué tiene de espiritual este cine? Seguramente su capacidad de servir a la gente a una escala muy humana con corazón e imaginación. Al ir a él no sientes que estés pagando a los accionistas de una multinacional, sino que formas parte de una verdadera comunidad. Las dos personas que lo llevan decidieron, como Nasrudín, no seguir la lógica de Cineplex sino ofrecer películas de calidad que crean un cálido centro para la vida de su comunidad. Sólo por el simple hecho de ir a él ya te sientes lleno de un espíritu comunitario y sé que mucha gente va a ese cine tanto para sentir este espíritu como para ver las películas que se proyectan en él.

LA ESPIRITUALIDAD EN EL LUGAR DE TRABAJO

Un recurso muy importante para la vida espiritual es la naturaleza y los negocios podrían planearse cuidadosamente para que el lugar de trabajo mantuviera una conexión positiva con ella. Muchas empresas están situadas cerca de ríos y de otras masas de agua. Las empresas en lugar de utilizar simplemente estos recursos naturales para la producción, podrían aprovechar la cualidad espiritual de los ríos y los lagos, manteniéndolos limpios y haciendo que sus empleados pudieran gozar de ellos.

Las tradiciones espirituales también recomiendan construir los edificios con los elementos básicos para la vida. Si la compañía no se encuentra cerca del agua, ésta podría canalizarse para que estuviera presente en ella. He visitado hospitales y colegios en los que el agua fluye debajo de las plantas y en los que pasas por puentes construidos dentro del edificio para disfrutar de la vista del agua. La piedra y la madera, el hierro y el barro también sugieren las cualidades básicas de la tierra y crean un ambiente espiritual.

Las cascadas interiores —un salto de agua cayendo sobre una gran piedra— se han vuelto populares. Esta clase de decoración, y otras formas de hacer que el lugar de trabajo sea más natural, crean una atmósfera espiritual. Los estanques, las fuentes, las chimeneas, los muebles de madera tosca... todos estos pequeños detalles evocan los espíritus de la naturaleza.

El lugar de trabajo también se puede decorar con el maravilloso arte espiritual antiguo procedente de numerosas tradiciones. Los ejecutivos punteros suelen apreciar las citas inspiradoras, un recurso que puede ser significativo y proceder directamente de tradiciones espirituales milenarias.

Los maestros espirituales recomiendan a menudo el silencio como un camino seguro para fomentar la espiritualidad y, sin embargo, los lugares de trabajo suelen ser espacios ruidosos. Si la empresa no resuelve este problema acústico, otra alternativa sería disponer de espacios donde los trabajadores pudieran retirarse para estar tranquilos. Es difícil ser contemplativo y consciente cuando tus oídos están siendo bombardeados constantemente con un intenso ruido. Una biblioteca equipada con obras espirituales también podría ser un valioso recurso para los trabajadores, aunque parezca una idea extraña que una empresa laica la tenga.

La comida siempre ha tenido connotaciones y posibilidades espirituales. Satish Kumar, fundador del Schumacher College en Inglaterra, suele contar cómo creó una comunidad en su pequeña ciudad al centrar las lecciones y las actividades del día alrededor de la preparación del almuerzo. Preparar la comida y almorzar juntos puede ser una experiencia profundamente espiritual, sobre todo al repetirla día tras día. Y, sin embargo, ¿cuántas compañías tienen en cuenta la calidad de la comida y la forma de tomarla como una parte esencial del lugar de trabajo?

Todas estas sugerencias tienen que ver con la vocación de las personas que forman parte de una compañía, desde el director ejecutivo hasta el último trabajador contratado. Es difícil poder descubrir cuál es tu vocación cuando la mayoría de empleos que has probado apenas tenían una dimensión espiritual. El trabajo que estás destinado a hacer en la vida es algo espiritual. Tiene raíces infinitamente profundas en cuanto a tus razones para vivir. Si estás intentando descubrir cuál es tu vocación, puedes explorar las compañías en las que la espiritualidad es un hecho evidente que configura el trabajo y el entorno donde se realiza.

LA CONTEMPLACIÓN

Vivir y trabajar respetando nuestros valores y principios éticos y hacer que el mundo sea un lugar mejor es una forma de llevar la espiritualidad al trabajo. Pero hay aspectos del trabajo más sutiles que también sirven para un propósito espiritual.

Algunos empleos, sobre todo los tediosos y repetitivos, nos ofrecen oportunidades para la contemplación. La meditación es una manera formal de desconectar de la vida exterior para centrarnos en nuestro interior. La contemplación consiste en estar tan absorto en algo, que pierdes la conciencia de donde estás y de lo que estás haciendo. Los maestros zen recomiendan entregarse por completo a lo que uno hace en ese momento. Seung Sahn decía a sus estudiantes: «Cuando comáis, comed». Pero un día le vieron comiendo leyendo el periódico. Al preguntarle cómo era posible, él les respondió: «Cuando comáis y leáis el periódico, simplemente comed y leed el periódico».

Ciertas clases de trabajos te ofrecen la oportunidad de dejarse absorber y de vaciar la mente por un rato. Al estar absorto en tu trabajo tu contemplación no es abstracta sino concreta. El trabajo que realizas te absorbe por completo y entonces no se convierte simplemente en una plegaria, sino en una plegaria contemplativa. Pierdes la sensación que está casi siempre presente en ti de ser alguien haciendo algo. En los actos contemplativos simplemente estás actuando.

Pero hay una diferencia entre hacer un tedioso trabajo repetitivo y utilizarlo como un camino para la contemplación. Dejas que el trabajo mecánico se convierta en un trabajo que te vacía la mente. Entras de una forma más plena e intencionada en la repetición que implica y disfrutas de la ausencia de actividad mental. En este estado de absorción, dejas que las inspiraciones surjan, porque la contemplación no tiene por qué ser vacía y pura. Puede estar llena de imágenes, pensamientos e inspiraciones.

La contemplación consiste también en aquietar la actividad interior y exterior. Produce calma y te permite descansar de la frenética actividad de la vida cotidiana y de los incesantes pensamientos vinculados con las distintas clases de ansiedad. Puede ser breve y eficaz al mismo tiempo, por eso incluso hacer un trabajo repetitivo durante un corto tiempo te permite aquietar el yo y entrar en un estado de contemplación espiritual.

Marie-Louise von Franz, psicoanalista junguiana, observó en una ocasión que alguien que corta verduras para preparar una comida entra en un estado de ensoñaciones y fantasías que alimenta la vida del alma. La contemplación puede ser una concentración en el trabajo en la que uno pierde la conciencia de sí mismo pero que está al mismo tiempo llena de imaginación.

La vida nos ofrece oportunidades durante todo el día para vivir el momento y aquietar la mente, aunque sólo sea durante breves instantes. Puedes aprovechar estas oportunidades y convertir los momentos cotidianos en meditaciones en miniatura. Haces que formen parte de tu vida espiritual, convirtiendo el trabajo monótono en casi una salmodia: en un momento monótono que puede ser aburrido o bien un espacio para la reflexión.

En mi vida como escritor hay momentos en los que voy a buscar un libro a la biblioteca, me siento a leer un manuscrito, subo al piso de arriba, salgo a dar un paseo, o tomo una ducha y pienso. Son momentos silenciosos e inactivos y, sin embargo, fecundos, y además se dan en la vida de mucha gente. Es muy útil conocer las tradiciones de la contemplación y ver cómo la vida cotidiana te ofrece oportunidades para la reflexión.

Los monjes cristianos tienen un dicho que lleva la intención de su trabajo a un plano distinto: *Laborare est orare* («Trabajar es orar»). Los monjes suelen valorar mucho el trabajo, aunque las tareas que hagan sean a menudo bastante corrientes. Casi nunca trabajan por dinero: al cocinar, limpiar, construir y reparar, coser, cultivar la tierra, y hacer el pan y el vino, valoran el trabajo por sí mismo y por lo útil que le resulta a la comunidad.

Piden hacer las tareas sencillas no por una actitud masoquista o retraída, sino porque les enseñan a ser humildes.

Les permiten participar en las necesidades básicas de su comunidad, servir a sus compañeros y ensuciarse las manos en las tareas de la vida diaria. En este sentido no son distintos de Wallace Stevens, que deseaba ir a trabajar para ser como el resto de los mortales.

Los monjes desean llevar un estilo de vida que encarna por completo su visión espiritual de la igualdad, la comunidad y el servicio. Quieren construir su estilo de vida desde los cimientos, en sus propios términos. Por eso se hacen ellos mismos el pan, se construyen sus propios graneros y se ocupan de sus animales. Su trabajo es la manifestación de sus ideales y de su compasión, de ahí que sea una forma de oración.

Teilhard de Chardin, el jesuita visionario, describió la tarea humana básica como trabajar para la evolución del mundo natural. La ecología, la conservación del medioambiente, tiene un alcance planetario y, sin embargo, podemos empezar a aplicarla en nuestra propia casa. Los monjes de todo el mundo lo saben, por eso dedican un tiempo valioso a sembrar y a limpiar retretes. La diferencia radica en que por medio de su intención transforman el duro trabajo en una forma de oración. Mientras arreglan una puerta que rechina y ordeñan las vacas, participan en el desarrollo de la humanidad. Llevan su trascendente propósito incluso a las tareas más corrientes de la vida diaria.

Esta mezcla de visión, intención y dedicación transforma la experiencia del trabajo, dando a cualquier clase de tarea una dimensión espiritual. Nasrudín no recibe ningún elogio mundano por el hecho de trabajar rigiéndose por valores distintos que los de sus compañeros, él se ha fijado otra meta.

Cuanto más trascendente sea tu visión, más personal y profunda será tu participación en el trabajo y la satisfacción que te producirá. Si lo realizas de una forma automática, sin ponerle el alma, serás como cualquier otra persona que ejecuta un trabajo similar. Pero si aprovechas tus ideas al máximo, las meditas, las pones en orden y las aplicas al trabajo, tus esfuerzos serán mucho más personalizados debido a tu reflexión. Al desempeñar tu trabajo serás mucho más consciente, sabrás con tanta claridad cuáles son tus ideas y valores que se manifestarán en él.

En una ocasión visité en Irlanda la tienda de un artesano que hacía cuencos de madera. Había seleccionado sólo madera de plantaciones para no usar la de los árboles en peligro de extinción. Utilizaba aceites ecológicos para pulir la madera. Y guardaba la pintura sobrante hecha con sustancias naturales en los cuencos terminados para no desperdiciarla. En todos estos detalles aquel artesano presentaba tanto una filosofía de la vida como un cuenco práctico, y sus ideas eran más coherentes aún por la satisfacción que le producía su trabajo. Siempre que uso el cuenco que le compré me acuerdo de sus valores y vuelve a inspirarme una vez más. Sus ideas han hecho que ese cuenco sea un objeto especial y único. Así es un trabajo concreto hecho con una dimensión espiritual.

La espiritualidad que no se aplica en el trabajo cotidiano tiende a ser abstracta y en el fondo irrelevante. Y un trabajo práctico sin una base espiritual es mecánico, narcisista y unidimensional. Carece de la riqueza de las buenas ideas, de una ética profunda y de inspiración. Tanto la actitud espiritual como la práctica se necesitan la una a la otra. Sin el aspecto espiritual el trabajo es un mero trabajo.

EL MISTERIO

Un elemento esencial en la vida espiritual es saber apreciar el misterio que nos rodea. Vivimos en una sociedad que ve el misterio como un reto y que cree que sólo triunfas cuando lo esclareces y explicas. En cambio la religión aborda el misterio de otra forma. En lugar de intentar descubrirlo, crea una serie de rituales, cánticos e historias a su alrededor, conservándolo y venerándolo. La religión supone que un misterio es valioso en sí mismo. Para ella no es un código que hay que descifrar a toda costa, sino una verdad poderosa e insondable que debe honrarse y vivirse.

El misterio del amor, el misterio del universo, el misterio del matrimonio y de los hijos, la misteriosa vida de los animales, el misterio del nacimiento y de la muerte, todos estos misterios dan a la vida humana una profundidad infinita. Sin ellos acabaríamos con una simple explicación que nos satisfaría a un nivel pero que no nos humanizaría.

El trabajo que estamos destinados a hacer en la vida es uno de aquellos inexplicables misterios que se resisten a una explicación razonable. Si siguiéramos el ejemplo de las religiones, rendiríamos homenaje al misterio de la vocación. Nos parecería algo muy valioso sin necesidad de diseccionarlo ni esclarecerlo. Sin necesidad de controlarlo ni de exigirle nada.

Una vocación es nada menos que el misterio de quién somos. No puede equipararse con un trabajo o una carrera. No es sólo una emoción, ni una ilusión, sino que es fundamental para sentirnos completos y tranquilos y, sin embargo, es imposible definirla y controlarla. Es algo profundamente espiritual y sólo podemos afrontarlo con la sensación de estar conectados de algún modo al mundo en el que vivimos y a las personas que ya no se encuentran entre nosotros y que buscaron y quizá descubrieron cuál era su vocación. Cada día cuando salgo a pasear paso por delante del cementerio de nuestro pueblo y pienso en las vidas de las personas que descansan en él. La verdad es que hablo con ellas mientras lo cruzo. Las considero como una pequeña comunidad. Pienso en sus vidas y en el trabajo que realizaron. De algún modo creo que en este cementerio hay el secreto de lo que yo estoy buscando: una vocación, un sentido para mi vida, un propósito y una inspiración. Sé que dentro de poco iré a parar a él y espero que las cosas sencillas que he hecho en mi vida, llena de errores y de malas decisiones, servirán para alcanzar el verdadero *opus,* un trabajo significativo y una vida plenamente vivida.

El alquimista observa detenidamente el crisol. La masa de material se ha estado fundiendo durante días, semanas o incluso meses. El calor ha sido constante, a veces al rojo vivo y otras, a fuego lento. El alquimista se imagina que ve un pájaro blanco, en esta ocasión descendiendo volando al material, una y otra vez. Es el pájaro del espíritu, una figura inseminadora que representa la visión, los valores, la ética, la filosofía, la compasión y la comprensión espiritual. Hace que la materia prima cobre vida, la purifica, la madura y, por último, culmina el proyecto.

La confusión se transforma entonces en orden, la ignorancia, en comprensión. La materia prima se vuelve ahora más sofisticada. La masa adquiere formas bellas. La Obra empezó en el caos, pero ahora se fusiona como un mundo. El alquimista observa el interior del crisol con más deteni miento e imagina ver una figura humana emergiendo del lodo y el vaho del recipiente. El homúnculo, el pequeño ser, aparece, como Adán o Eva, transformado en un hombre nuevo y una mujer nueva. La alquimia ha creado a una persona.

12

Una vida perfecta

Estoy convencido de que ganarnos la vida en esta tierra
no es una tarea ardua sino un pasatiempo, si lo hacemos
con sencillez y sabiduría. No es necesario que nos
ganemos el pan con el sudor de la frente, a no ser
que quien lo haga sude con más facilidad que yo.

HENRY DAVID THOREAU

Cuando la Obra alquímica ha llegado casi a su fin, el alquimista advierte una variedad de colores brillando en la materia que ha estado fundiéndose. Entonces imagina ver en ella la cola de un pavo real, un despliegue de plumas irisadas y de luminosos colores. Sabe que la piedra mágica está a punto de manifestarse y que pronto habrá completado la Obra.

La imagen del pavo real es asombrosa en esta etapa de la Obra. Ahora se supone que los numerosos y distintos elementos que han participado en el *opus* se han fundido en uno. Un pájaro multicolor simboliza en el proceso la penúltima meta alquímica, ya que la última es la piedra filosofal o el elixir. Algunos alquimistas creían que las plumas simbolizaban los planetas astrológicos, que a su vez representaban los puntos centrales de una vida, desde la sensación de comunidad de Júpiter, hasta la insistencia en el amor y en el sexo de Venus y la habilidad en el comercio y la comunicación de Mercurio. Pero sin duda los alquimistas comprendieron que la maduración de una vida constituye la reunión de muchos elementos, cada uno tiene su propio valor e importancia en ella.

Al relacionar la imagen de la cola irisada del pavo real con nuestra búsqueda de la labor que estamos destinados a hacer en la vida comprendemos que ésta es siempre multifacética. No se reduce a una sola actividad. Quizá nos sintamos inspirados a seguir una determinada dirección, pero nuestras actividades serán múltiples y variadas, y a menudo contradictorias.

¿Cuál es entonces la labor que estás destinado a hacer en la vida? ¿Es tu carrera profesional, el servicio que prestas a la comunidad, sacar adelante a tu familia, madurar en una persona auténtica, o todo lo que haces en tu tiempo libre? ¿O se trata de algo más misterioso que surge de todo ello? A estas alturas incluso podrías preguntarte si estás destinado a hacer algo en la vida. ¿Quizá la idea de una vocación no sea más que una fantasía que nos permite alcanzar una serie de logros?

LOS PASAJES

En la historia de Mahud, este simple personaje pasa gustoso de un trabajo a otro sin parecer seguir un plan o una dirección en la vida. Es increíblemente obediente a la llamada del ángel y al final por lo visto se encuentra a sí mismo. Y, sin embargo, la persona en la que se convierte parece tener muy poca relación con los trabajos que ha hecho para prepararse para ello. Lo que lo convierte en sanador y en maestro, ¿son los diversos trabajos que lleva a cabo o la increíble obediencia de la que hace gala? Esta historia trata de pasajes. Todos sabemos que la vocación es una especie de viaje en la vida, cómo pasas de un trabajo a otro en ella, aunque a veces en lugar de seguir el camino más directo des vueltas antes de llegar a la cima. Pero el paso de la infancia a la adolescencia, a la adultez y a la vejez no son sólo etapas de la vida, sino iniciaciones del corazón y el alma. Al pasar de una etapa a otra no sólo avanzas sino que además cambias como persona. Experimentas transformaciones cualitativas que te convierten al final en una persona muy distinta de la que eras al principio.

Estas iniciaciones no siempre coinciden con las etapas de la vida. Puedes casarte, por ejemplo, y no llegar a cambiar tu identidad de soltero a la de casado. No hay ninguna garantía de que la ceremonia matrimonial o la intención de cambiar de estado hagan que ocurra. Sin embargo, si no estás iniciado en la vida conyugal, probablemente esta vida te resulte difícil por no decir imposible. Lo mismo ocurre con el trabajo. Si te dan cada vez más responsabilidades pero no progresas personalmente como líder, no triunfarás en él. La conducta exterior debe estar respaldada por un cambio en el carácter.

También puedes atravesar más etapas de las habituales. Muchos hombres y mujeres se despiertan un día por la mañana en su vida matrimonial y descubren que han cambiado en cierto modo. De pronto puede que ansíen un trabajo y actividades más significativos. Ahora tienen que adaptarse a un nuevo estatus y su pareja debe también afrontar este cambio. A lo mejor te despiertas un día y descubres que has cambiado en cuanto a tu trabajo. Quizá ya no te satisface y fantaseas sobre un futuro más excitante.

A lo largo de la vida experimentamos muchas iniciaciones y, si no se dan, podemos sentirnos estancados en un lugar inadecuado de ella. Algunos individuos nunca llegan a madurar en su vida matrimonial, siempre se ven como solteros, aunque vivan en pareja. Otros montan un negocio pero nunca llegan a estar preparados para dirigirlo. En el trabajo se pueden ver profundos problemas causados por estos conflictos entre el desarrollo personal y las estructuras de una carrera profesional.

La labor que estás destinado a hacer está formada por muchas iniciaciones que te cambian la vida, y las personas que más han triunfado, en el sentido más profundo de la palabra, han cambiado al pasar de una etapa a otra. Una iniciación, experimentada quizá con una considerable lucha, lleva a otra.

Los pasajes de la vida son más sutiles de lo que creemos. Por ejemplo, una persona al llegar a la etapa de la jubilación es cuando puede estar más preparada para la labor que está destinada a hacer en la vida, ya que es entonces cuando se conoce a fondo o ha desarrollado por fin unas habilidades sumamente sofisticadas y está preparada para ella.

Por un lado, muchas personas se resisten a jubilarse porque quieren seguir trabajando. Esta clase de resistencia no es mala, simplemente puede indicar que están preparadas para pasar a otra clase o nivel de actividad laboral. Y por otro, algunas se jubilan sin estar preparadas para ello. Al hacerlo se sienten perdidas y deprimidas, ya que no han pasado por la iniciación necesaria o no han hecho el cambio de actitud que esta nueva etapa requiere.

En mi trabajo como psicoterapeuta he conocido a muchos conductores de limusinas. En general les encanta su trabajo y es el que han elegido después de dejar atrás una trayectoria profesional en un negocio. Varios de ellos me han contado lo relajante que es esta ocupación. Aunque el horario sea irregular y a veces tengan que levantarse temprano, el trabajo en sí no es nada complicado, por eso les gusta tanto después de la estresante vida que han llevado en el mundo empresarial. La mayoría de ellos afirma que pese a haber dirigido una empresa o haberse dedicado a las ventas, este nuevo trabajo forma parte de su vocación.

Una vocación es como la cola de un pavo real: tiene muchas facetas. Mientras pasas de un trabajo a otro, empiezas a ver quién eres y qué deseas hacer en la vida. Todos los trabajos pueden contribuir a este descubrimiento y, por lo tanto, juegan un papel importante en él. Incluso los trabajos sin porvenir, los que te hicieron sufrir, los que no parecían llevarte a ningún lado, todos ellos pueden cobrar sentido cuando se te revele en el futuro la labor que estás destinado a hacer en la vida.

Estas formas de evolucionar quizá te parezcan dramáticas, pero en la vida real pueden ser bastante sencillas. La mayoría de nosotros no estamos hechos para la fama ni la riqueza. Nuestros trabajos quizá parezcan sencillos vistos desde fuera, pero al realizarlos podemos sentirlos intensamente. La labor que estamos destinados a hacer tiene en gran parte que ver con nuestra *experiencia* de la vida en la tierra y no tiene por qué medirse por lo que hayamos logrado en el mundo exterior.

LA LABOR DE TU VIDA

Al decir que tenemos una vocación o que deseamos dedicarnos a un trabajo que nos llene estamos planteando cuestiones importantes sobre la vida. Tu carrera profesional puede dirigirse hacia una dirección y la actividad que de verdad te llena seguir en cambio otra totalmente distinta.

La labor de tu vida y cada aspecto de ella contribuyen a la sensación de tu vocación. Quizás estés concentrado en tu carrera, pero no puedes ignorar lo importante que es crear una familia como parte de tu vocación en la vida. Saber cuál es la carrera profesional que quieres hacer es sólo una parte de la historia, tal vez dediques una considerable atención y energía a descubrirla, pero no puedes dedicarla toda a ello. Quizás intentes compaginar con dificultad el trabajo y la familia porque para ti ambos son aspectos importantes de la labor de tu vida.

Algunas personas se sienten quemadas en su trabajo. Se entregan tanto a él que ya no les queda nada por dar en los otros aspectos de la vida, o llegan a un punto en que sienten no poder dar ya nada más a nadie. Esta clase de agotamiento está causado por muchas distintas razones, como la de concentrarte demasiado en un aspecto de tu existencia, aunque este exceso suele darse más en el trabajo que en otras áreas importantes de la vida.

Del mismo modo que las plumas de la cola del pavo real pertenecen al pavo real, las diversas facetas de la labor que estás destinado a hacer en la vida forman parte de ésta. Son muchas y, sin embargo, se funden en un yo, en una persona haciendo muchas cosas. Están conectadas entre sí y dependen unas de otras.

Emily, una amiga mía, se doctoró en Literatura. Se ha pasado la vida criando a sus hijos, cantando en el coro de una iglesia, llevando un pequeño negocio de artesanía y escribiendo. Estos cuatro aspectos de su vida, aparte de su matrimonio y los servicios a su comunidad, son su *cauda pavonis,* su cola de pavo real, las cuatro partes de su vocación en la vida.

A Emily le gustaría que una actividad artística la «llamara» más que otra para poder dedicarse plenamente a ella. Pero por otro lado, ve que en todas yace un misterioso «arte» alrededor del cual danzan las otras. Esta imagen la apoya mientras siente el deseo de seguir varias direcciones.

Es una mujer muy inteligente, talentosa y complicada que siente no haber hecho aún todo lo que ha venido a hacer en la vida. Procede de una familia donde los hombres, y no las mujeres, intentaban hacer realidad sus sueños y siente que debe ayudar a su extensa familia o a cualquier otra persona que lo necesite. A veces su necesidad de ayudar a los demás se interpone en las otras actividades que hace en la vida.

La vocación que siente por escribir, la artesanía, la música y la familia a veces le hacen sentirse fragmentada. Por otro lado, ha conseguido muchas cosas en estas áreas. Aunque aún no haya logrado llevar todas sus pasiones a un punto satisfactorio, manifiesta una vocación rica y multifacética, así como las tensiones que ésta comporta.

Sus amistades la observan para ver si su faceta de escritora estalla un día en una profesión consolidada que destaque de las otras. Aunque por ahora admiran su forma inteligente y eficaz de ocuparse del pavo real.

«TRABAJOS» QUE SE COMPLEMENTAN

Aunque trabajemos duro para ser estudiantes, padres y ciudadanos, no consideramos estas actividades como parte de la labor que estamos destinados a hacer en la vida, por eso separamos nuestra existencia en categorías y creemos que unas no afectan a las otras. Nuestra forma de imaginar y clasificar las actividades que realizamos hace que nos sintamos fragmentados. Le otorgamos una gran importancia a nuestra vocación y al sentido de nuestro trabajo y no tenemos en cuenta el valor de otras áreas de la vida.

Si te imaginaras la maternidad o la paternidad como una vocación en lugar de considerarla una serie de tareas, verías con más facilidad cuánto te llena. Quizá te tomes entonces tu papel con más autoridad y convicción y te sientas menos agobiado por lo que te exige. En esta clase de cuestiones la actitud es importante y ésta depende en gran parte de tu imaginación.

En la actualidad es muy fácil encontrarse con personas «agobiadas», sobre todo si intentan sacar adelante a su familia y conservar su trabajo. ¿Estar «agobiado» significa hacer demasiadas cosas o se refiere a la falta de una filosofía que le da prestigio y significado a la maternidad y a la paternidad? La forma de imaginarnos una situación afecta las emociones que ésta nos produce. Si te imaginas la maternidad o la paternidad como una serie de deberes, te hará sufrir. Pero si te la imaginas como una noble vocación y una fuente que le da sentido a tu vida, sentirás que la carga que conlleva se aligera. La pesada imagen que te has hecho de ella es la que la convierte en una carga para ti.

Ampliar las actividades a las que llamas trabajo también permite que las distintas tareas que realizas en la vida se complementen. A veces yo llevo conmigo a mis hijos en las giras de conferencias que doy. Esta práctica no ayuda a que viajar sea más fácil para mí, pero hace que mi trabajo se enriquezca y sea más cómodo de realizar, porque entonces soy yo realmente ante el público y no alguien desprovisto y separado de manera artificial de su papel de cabeza de familia. Así en mis viajes gozo del apoyo de mi vida familiar. Aunque no viajo siempre con ella, porque a veces también me gusta ir solo. Pero viajar con mi familia de vez en cuando hace que mi vida sea una unidad. Tu vocación es ante todo tu vida. Puedes fracasar, dejar un trabajo, cambiar, descender en la escalera del éxito y seguir sin embargo teniendo una vocación. Ni siquiera necesitas entender cómo el fracaso y la inestabilidad te han convertido en quien eres ahora. Estas cosas son a menudo inescrutables. Sólo tienes que confiar en que tu historia se está desarrollando y que al final entenderás lo que significa.

UNA VIDA MULTIFACÉTICA

En cuanto has comprendido la amplitud y la profundidad de la labor que estás destinado a hacer en la vida, puedes ver cómo muchas actividades «secundarias» forman parte del *opus* de tu vida. Viajar, por ejemplo, incluso como parte de unas vacaciones, puede ser una parte importante de la labor de profundizar tu vida. En una ocasión hablé con una amiga mía de Irlanda sobre su hija de diecinueve años que iba a dar la vuelta al mundo. Ella se imaginaba este viaje como un importante paso en la educación de su hija. Creía que le iría bien ver las distintas culturas del mundo antes de ir a estudiar a la universidad. Consideraba el viaje de su hija como un elemento esencial en su maduración y en el inicio de la labor que estaba destinada a hacer en la vida. Los viajes afectan la visión que tenemos del mundo y son una poderosa iniciación, una actividad perfecta para una joven que está a punto de entrar en la adultez.

Las aficiones relacionadas con el arte, la artesanía, la jardinería y el coleccionismo tienen un propósito más profundo del que parece a simple vista y este propósito puede hacer que un *hobby* sea más importante que una carrera o que un trabajo. Las personas que se ocupan del jardín los fines de semana dicen que les gusta sentir la tierra entre sus dedos. Esta experiencia no es sólo física sino también sumamente psíquica. ¿Por qué necesitamos sentir la tierra en nuestras manos? ¿No será porque la tierra nos estabiliza, nos purifica, nos conecta con la naturaleza, nos renueva y nos limpia el alma?

Mi padre ha coleccionado sellos durante casi ochenta y cinco años. Se ha pasado innumerables horas despegándolos de las cartas y los paquetes, preparándolos para los álbumes, y catalogándolos y tasándolos. Se ha vuelto un experto en filatelia, pero su profesión ha sido la lampistería, un campo que le apasionaba. Ignoro el profundo motivo que le llevó a esta afición, pero sé que le pone en contacto con un mundo mucho más amplio del que hubiera tenido como lampista. Se escribe con coleccionistas de todas partes del planeta y los sellos le han permitido conocer distintas culturas del mundo.

Las aficiones forman parte de la labor que estamos destinados a hacer en la vida y no necesitamos darles más importancia de la que tienen para que formen parte de ella. Estas pequeñas actividades, por insignificantes que sean, pueden ocupar un lugar en nuestra vida mucho más importante de lo que creemos. Todas las acciones humanas tienen un significado literal y simbólico, y la jardinería, el coleccionismo y la artesanía pueden ser importantes tanto como símbolos como por lo que crean en el sentido literal de la palabra.

Los que construyen avionetas y las hacen volar probablemente tengan el espíritu de un niño que quiere volar, el deseo de los que sueñan con un globo aerostático de liberarse de una realidad que les resulta agobiadora. Quizá los aficionados a la ornitología también tengan en parte este espíritu, de lo contrario estarían estudiando los peces o los leones. A menudo no resulta fácil ver la importancia simbólica de un *hobby*, pero la dedicación con la que la gente se entrega al estudio de las aves o al coleccionismo indica que la experiencia es mucho más profunda de lo que parece a simple vista.

Vladimir Nabokov, el autor de *Lolita,* desconcertó a sus lectores con su extraordinario talento para las palabras combinado con su pasión por el estudio de las mariposas. Muchos de ellos han intentado comprender la conexión que había entre una actividad y otra, pero la fuerza simbólica de una afición no es fácil de esclarecer. Podemos intentar establecer algunas conexiones, pero sería necesario un psicoanálisis completo para llegar a una explicación convincente. El propio Nabokov dijo: «Francamente nunca consideré el escribir como una profesión, porque para mí siempre ha sido una actividad agobiante y excitante, una tortura y un pasatiempo a la vez, pero nunca esperé que se convirtiera en mi medio de vida. Por otro lado, he estado soñando durante mucho tiempo con la excitante carrera de ser un enigmático conservador de lepidópteros en un gran museo». Desde su punto de vista, el estudio de las mariposas era lo más importante para él, aunque se ganase la vida como escritor.

EL CORAZÓN DE TU VOCACIÓN

Quizá la labor que estás destinado a hacer en la vida no sea un trabajo, una ocupación, una profesión o un papel en concreto. A lo mejor es una sensación de ti mismo que surge de toda una vida de hacer un trabajo tras otro, como Mahud, quizás incluso de pasar de una profesión a otra. En cierto sentido es difícil de alcanzar porque requiere una cierta cantidad de experiencia antes de revelarse.

La última pieza del rompecabezas tal vez llegue a una avanzada edad, como le ocurrió a Christopher Reeve, cuya vida parecía estar basada en la carrera de actor, hasta que sufrió un accidente en una competición de equitación y se convirtió en defensor de los tetrapléjicos. Es difícil imaginarse la vida del presidente Jimmy Carter sin las contribuciones que hizo después de dejar la presidencia. La labor que estamos destinados a hacer en este mundo puede tardar toda una vida en revelarse.

Por eso debes mantenerte abierto a las posibilidades y resistir la tentación de cerrarte a ellas en cualquier punto de tu vida. Lo cual significa estar siempre abierto a un cambio en tu identidad, porque la labor que estás destinado a hacer en la vida es la que te define. Los escritores de temas espirituales a veces afirman que todos los amores perecederos nos llevan al amor infinito y por eso deseamos siempre recibir más. Lo mismo ocurre con la vocación. Cualquier tarea o profesión perecedera te lleva a otra más allá de ella. Debes abordar con una actitud abierta tu sensación del trabajo que estás destinado a hacer en la vida, al margen de que creas haber logrado muchas cosas o muy pocas, porque nunca llegas a conocer del todo la misión que tienes en ella.

Hacia el final de su vida laboral muchas personas sienten que ha llegado el momento de transmitir su sabiduría. Les tienden la mano a los jóvenes enseñándoles y apoyándoles. Se trata de un sentimiento noble que les hace sentirse realizadas, un sentimiento totalmente adecuado para el que parece ser el fin de una carrera profesional. Quizá tu filosofía de la labor que estás destinado a realizar en la vida podría incluir tu propia idea de lo que vas a hacer cuando tu carrera esté llegando a su fin.

Puedes imaginar el arco de tu vida empezando con la necesidad de concentrarte en ti, abriéndose luego al mundo y transmitiendo al final tu sabiduría a los jóvenes o ayudando con tus conocimientos a una sociedad que te ha apoyado. Este importante gesto de agradecimiento no es sólo altruista, sino que también te sirve para completar la dinámica de tu corazón tras haber luchado y trabajado, aprendido y recibido y, al final, dado a cambio tu sabiduría y experiencia como persona mayor.

CONCLUSIÓN: EL *OPUS* DEL ALMA

Descubrir el trabajo que estás destinado a hacer en la vida es inseparable de madurar como persona y de encontrar tu lugar en la sociedad. Para madurar como persona debes dedicar un cierto tiempo a analizar tu vida, y a reconocer y resolver los errores y fracasos que han marcado tu progreso. Debes purificar la materia prima de tus emociones y tus conflictivas relaciones, aprender a participar en el mundo con una mayor eficacia. Debes darle salida a tu creatividad de una forma realista, basando tu idealismo y tus ambiciones en los contextos del mundo real.

Necesitas tener una visión espiritual, una filosofía de la vida y un profundo sentido de los valores éticos que vaya evolucionando. Necesitas mantener estrechas relaciones con los demás, participar en la comunidad y abrirte a las necesidades sociales. Al poseer estas cualidades personales irás vislumbrando paso a paso la naturaleza del trabajo que estás destinado a hacer en la vida y después de mucho tiempo percibirás el arco que va trazando en ella. Entonces podrás ayudar a los demás a encontrar su propio camino. Puedes crear una vida rica y multifacética que no te haga sentir fragmentado ni roto. Dejarte guiar por tu daimon interior y por las necesidades del mundo que te rodea. A veces el simple hecho de responder a una necesidad local te ofrece ya todo el trabajo que eres capaz de manejar y también una identidad. Tu receptiva actitud ante las diversas llamadas vocacionales que has oído y sentido en tu interior, sea cual sea la profesión que hayas ejercido, te convierte en un sanador de los demás. Te has sumergido en el rico humus de la existencia humana a través de las elecciones que has hecho con tu receptiva actitud y con tus luchas agridulces, y esta iniciación te permite ahora pronunciar las palabras y encarnar la visión que curan a los demás. Y al curarlos habrás encontrado una nueva vocación, unas complicaciones adicionales y unas recompensas más profundas. La vida es rica y tú saborearás su riqueza cuando estés en armonía con la dinámica de la labor que estás destinado a hacer en la vida.

Agradecimientos

Hace algunos años Spencer Niles me invitó a dar una charla para un grupo de orientadores ocupacionales en San Francisco. Decidí hablar sobre el *opus* alquímico, la profunda labor de crear una personalidad y una vida. Sande Johnson, que se había asociado con un editor de libros de texto, me sugirió que escribiera un libro sobre el tema. Les agradezco a ambos que comprendieran mi peculiar forma de ver las cosas.

Mientras escribía el libro tuve la ocasión de reflexionar sobre las influencias que ha habido en mi vida, empezando por la de mi padre, Ben Moore, que a sus noventa y cuatro años sigue aún enseñando, tocando el piano y ayudando a la gente en general. Todavía continúa trabajando cuatro días a la semana.

También pienso en mis amigos que siguen, como nosotros, intentando descubrir la profunda labor que están destinados a hacer en la vida. Emily Archer, Pat Toomay, Steven Haley, Redmond O'Hanlon, Satish Kumar, Brendan y Hazel Hester y nuestros nuevos vecinos, Tom, Dale, Jane y Sally, todos ellos me han ayudado a escribir este libro. También les agradezco a Brian Moss y a las otras personas las historias que me han contado en sus cartas.

Curiosamente, mi trabajo había estado yéndome la mar de bien durante quince años y de pronto se volvió un poco conflictivo mientras escribía este libro. He tenido que volver a imaginarme la labor que estoy destinado a hacer en la vida y mientras esta obra se publica me estoy reinventando a mí mismo de nuevo. Tendré que volver a leer estas páginas y sacar algunas ideas de ellas para aplicarlas a mi propia vida. Mientras escribía el libro he recibido valiosos consejos profesionales de Michael Katz, Bill Shinker, Hugh van Dusen, Russell Donda y Kristin Frykman. Amy Hertz y Kris Puopolo me ayudaron a adaptar el libro para un amplio sector de lectores y me enseñaron más lecciones sobre el arte de escribir.

Desearía también expresar mi agradecimiento a las personas cuyas vidas he mencionado como ejemplos de la búsqueda de una vocación. La mayoría de las historias son tal como me las contaron, sólo he adaptado un poco algunas de ellas para mantener la privacidad de sus autores. Como siempre, Joan Hanley, que ha ido configurando su vocación de una forma asombrosa, me inspira y enseña al ver cómo sigue su profunda guía interior. Mientras escribía este libro Siobhán, mi encantadora hija adolescente, empezó a cursar sus estudios en casa y yo aprendí muchas nuevas lecciones sobre enseñar a los demás y sobre la importante tarea de ser padre. Mi hijo Abraham empezó la universidad durante este periodo y su extraordinario desarrollo en un excelente joven me ha enseñado un poco lo que significa crecer en los complicados tiempos actuales. Yo siempre he sentido que mi madre me apoyaba, falleció hace cuatro años.

Este libro es un *opus* y, como todos los trabajos creativos, sólo ha podido realizarse a través de una comunidad. Doy las gracias a todas las personas que me han guiado en esta tarea, incluyendo a las que no he citado. El lector podrá ahora completar la obra reflexionando sobre las ideas que presenta y aportando otras nuevas en beneficio de la sociedad.

Notas

CAPÍTULO 2

1. Cita de Joan Richardson, *Wallace Stevens: The Later Years,* William Morrow, Nueva York, 1988, p. 20.
2. Ibíd, p. 72.

CAPÍTULO 3

1. C. G. Jung, *The Symbolic Life,* trad. R. F. C. Hull, *Collected Works,* Princeton University Press, Nueva Jersey, 1976, vol. 18, p. 442

CAPÍTULO 4

1. http://www.achievement.org/autodoc/page/mar0int-1.
2. http://www.achievement.org/autodoc/page/cas0int-1.

CAPÍTULO 5

1. Alexander Roob, *Alchemy and Mysticism,* Taschen, Colonia, 1997, p. 175.

CAPÍTULO 6

1. «Sweet Revenge», *Business Week,* 22 de enero, 2007.

CAPÍTULO 9

1. Agnes de Mille, *Martha: The Life and Work of Martha Graham,* Random House, Nueva York, 1991, p. 84.

2. C. G. Jung, *Memories, Dreams, Reflections,* edición al cuidado de Aniela Jaffé y traducida por Richard y Clara Winston, Pantheon Books, Nueva York, ed. rev., 1973, pp. 156-157. [Edición en castellano: *Recuerdos, sueños, pensamientos,* Seix Barral, Barcelona, 1996.]

3. Federico García Lorca, *In Search of Duende,* New Directions, Nueva York, 1998, p. 51. [Edición en castellano: «Teoría y juego del duende», *Obras completas,* Aguilar, Madrid, 1966.]

4. Ibíd., p. 50.

CAPÍTULO 10

1. C. G. Jung, «Psychology of the Transference», en *The Practice of Psychotherapy,* traducida por R. F. C. Hull, *Collected Works,* Princeton University Press, Princeton, Nueva Jersey, 1966, vol. 16, p. 490 [Edición en castellano: *La psicología de la transferencia,* Paidós, Barcelona, 1983.]

CAPÍTULO 11

1. Shunryu Suzuki, *Zen Mind, Beginner's Mind,* Weatherhill, Nueva York y Tokio, 1970, p. 63. [Edición en castellano: *Mente zen, mente de principiante,* Editorial Troquel, Buenos Aires, 1994.]

CAPÍTULO 12

1. Véase Brian Boyd, ed., «Nabokov, Literatura, Lepidoptera», en *Nabokov's Butterflies,* Beacon Press, Boston, 2000, pp. 1-30.

Sobre el autor

Thomas Moore es el autor de *El cuidado del alma*, una obra que encabezó la lista de los bestsellers del *New York Times*, y de otros quince libros sobre cómo profundizar nuestra espiritualidad y cultivar el alma en cada aspecto de la vida. Ha sido monje, músico, profesor universitario y psicoterapeuta y en la actualidad da numerosas conferencias sobre medicina holística, espiritualidad, psicoterapia y ecología. También escribe libros de ficción y compone música, y a menudo trabaja con su mujer Joan Hanley, artista y profesora de yoga. Es columnista de *Resurgence, Spirituality & Health* y de Beliefnet.com. Tiene dos hijos y vive en Nueva Inglaterra.

Visítenos en la web

www.mundourano.com